LE SEL DE TOUS LES OUBLIS

DU MÊME AUTEUR

Aux Éditions Julliard

Les Agneaux du Seigneur, roman, 1998 (Pocket, 1999)
À quoi rêvent les loups, roman, 1999 (Pocket, 2000)
L'Écrivain, roman, 2001 (Pocket, 2003)
L'Imposture des mots, roman, 2002 (Pocket, 2004)
Les Hirondelles de Kaboul, roman, 2002 (Pocket, 2004)
Cousine K., roman, 2003 (Pocket, 2005)
La Part du mort, roman, 2004
L'Attentat, roman, 2005 (Pocket, 2006)
Les Sirènes de Bagdad, roman, 2006 (Pocket, 2007)
Ce que le jour doit à la nuit, roman, 2008 (Pocket, 2009)
L'Olympe des Infortunes, roman, 2010 (Pocket, 2011)
L'Équation africaine, roman, 2012 (Pocket, 2012)
Les anges meurent de nos blessures, roman, 2013 (Pocket, 2014)
Qu'attendent les singes, roman, 2014 (Pocket, 2015)
La Dernière Nuit du Raïs, roman, 2015 (Pocket, 2016)
Dieu n'habite pas La Havane, roman, 2016 (Pocket, 2017)
Khalil, roman, 2018 (Pocket, 2019)
L'Outrage fait à Sarah Ikker, roman, 2019

Chez Folio

La Part du mort
Morituri
Double Blanc
L'Automne des chimères

Aux Éditions Flammarion

Ce que le mirage doit à l'oasis, 2017

YASMINA KHADRA

LE SEL
DE TOUS LES OUBLIS

roman

Julliard

ISBN : 978-2-260-05453-5
Dépôt légal : août 2020

I

1.

— Voilà toute l'histoire.

Elle se tut.

Comme un vent qui s'arrête subitement de souffler dans les arbres.

Mais Adem Naït-Gacem continuait d'entendre la voix de sa femme qui cognait sourdement à ses tempes, tel un pendule contre un rempart. Pourtant, tout venait de s'évanouir autour d'eux : le jappement des chiens, la brise empêtrée dans les plis du rideau, le crissement d'une charrette en train de s'éloigner.

Puis le silence.

Le terrible silence qui s'abat lorsque l'on réalise l'ampleur des dégâts.

Pendant longtemps, Adem demeura assommé. Le souffle coupé. Le cœur dans une tenaille. Il avait écouté Dalal du début à la fin. Sans l'interrompre une seule fois. Qu'en avait-il retenu ? Quelques bribes qui déflagraient en lui, lointaines et confuses, deux ou trois mots insoutenables que son esprit rejetait comme des corps étrangers.

Il se prit la tête à deux mains, ne sachant quoi faire d'autre. C'était sans doute le déballage auquel il s'attendait le moins. Comment croire à un aveu qui l'excluait et le concernait à la fois ?

Les larmes ruisselaient sur les joues de la femme, s'égouttaient de son menton, suintaient en taches grisâtres sur son corsage. Dalal ne les essuya pas. Elle était *déjà* ailleurs, les yeux rivés à la valise en carton qui confirmait le désastre.

— Que me sors-tu là, Dalal ?

— Je suis désolée.

D'un coup, Adem constata qu'il n'y avait plus rien à sauver. Son bras s'emporta de lui-même et sa main s'abattit si fort que Dalal manqua de tomber à la renverse.

Le visage projeté en arrière, un filament de sang sur la lèvre, Dalal refit face à son mari, les yeux obstinément fixés sur la valise.

Adem considéra sa paume meurtrie, étonné par la portée de son geste. Il n'avait jamais levé la main sur une femme, avant.

— Ça n'a pas de sens.

— Je sais, soupira-t-elle.

— Non, tu ne sais pas. Tu ne peux pas savoir, autrement nous n'en serions pas là.

Il essaya de lui prendre les poignets, comme il le faisait parfois pour la rassurer ou la calmer. Elle se recula.

— Est-ce que j'ai commis une faute envers toi ?

— Ce n'est pas ça.

— Alors, quoi ?

Le cri la transperça de part en part. Elle rentra le cou, redoutant une autre gifle.

— Je suis ton époux. J'ai le droit de savoir.

En vérité, Adem ne tenait pas à savoir quoi que ce soit. Cela ne ferait qu'enfieller les choses. Le miroir venait de se briser. Aucun argument ne minimiserait le drame. Certaines blessures atteignent la plénitude du malheur dès lors que l'on cherche à comprendre pourquoi ce qui a importé plus que tout au monde doit cesser de compter.

— Explique-toi... Explique-moi.

Qu'attendait-il de plus ? Dalal avait dit ce qu'elle avait à dire. Il n'y avait rien à ajouter, rien à rectifier. C'était lui qui refusait de se résoudre au fait accompli. Ses accès de colère n'étaient que de pitoyables sursauts d'orgueil.

— Que s'est-il passé ? Pourquoi maintenant ?

Ce fut tout ce qu'il lui vint à l'esprit pour sauver la face : des questions misérables, tellement tristes et stupides qu'aucune réponse ne pourrait les soulager de leur frustration.

Rien, dans leur vie à deux, lui semblait-il, ne laissait prévoir une telle issue.

De retour de son travail, Adem avait trouvé une valise à côté d'un petit sac à main dans le vestibule. Le soir était tombé ; on n'avait pas allumé dans le couloir ni dans la cuisine. La porte de la chambre à coucher était grande ouverte sur Dalal assise sur le rebord du lit.

À la pâleur de son épouse, Adem avait pensé que quelque chose était arrivé à sa belle-mère, clouée au lit depuis une décennie des suites d'un accident vasculaire cérébral. Il se trompait.

— C'est ridicule, voyons. Tu es une femme mariée, responsable, adulte. Tu ne peux pas te permettre des écarts de conduite de cette nature.

Dalal joignit les mains entre les cuisses, les épaules contractées. Adem avait envie de la gifler encore et encore, de la cogner jusqu'à en avoir le poing en bouillie, de renverser le matelas sur lequel elle était assise, d'arracher les tentures, de mettre le feu à la maison… Il avait surtout envie que sa femme prenne conscience du chaos qu'elle s'apprêtait à provoquer.

— Je suis navrée. Sincèrement.

— Mais enfin, regarde-toi. Tu as complètement perdu la tête.

— L'avais-je jamais eue ?

Le bras d'Adem se leva de nouveau. Cette fois, Dalal ne chercha pas à se protéger, la joue exposée à toutes les foudres du ciel.

— Tu me poignardes dans le dos depuis combien de temps ?

— …

— Tu as couché avec lui ?

— Non…

— Non ?

— Une seule fois, il a essayé de m'embrasser. Je lui ai dit que je n'étais pas prête.

— Et tu veux m'attendrir avec ça ?

— C'est la vérité.

— Et quelle est la mienne ? Qu'ai-je été pour toi pendant toutes ces années ?

— Ça n'a rien à voir avec toi.

— Dans ce cas, où est le problème ?

— Je l'ignore. Il est des choses qui arrivent et qui nous dépassent.

Elle hissa enfin les yeux sur son mari ; des yeux immenses qui faisaient rêver Adem naguère et qui lui paraissaient désormais aussi insondables que l'abîme.

— Tu ne peux pas savoir combien je regrette le mal que je te fais.

— Tu n'es pas obligée.

— C'est plus fort que moi, confessa-t-elle, la voix ravagée de trémolos. J'ai essayé, je le jure. J'ai essayé de ne plus le revoir. Je me promettais, chaque fois que je rentrais à la maison, de laisser cette histoire dehors. Et au matin, je me surprenais à courir le rejoindre.

Le coup de grâce. Adem était anéanti. Tout lui parut dérisoire : les larmes de sa femme, les serments, les sacrilèges, les trahisons, les mots, les cris…

— Est-ce que je le connais ?

Elle fit non de la tête. Imperceptiblement.

— Il est du village ?

— Non.

— Il s'appelle comment ?

— Quelle importance ?

— C'est important pour moi.

— Ça changerait quoi ?

— Parce que tu trouves que rien ne va changer ? Tu me balances ton vomi à la figure, sans préavis, et tu crois que demain sera pareil aux jours d'avant ? Tu me prends pour qui ? Pour une branche qu'on écarte pour poursuivre son chemin comme si de rien n'était ? Je suis de chair et de sang. Tu n'as pas le droit de me faire ça. Je suis ton mari. Et tu es mon épouse. Il y a un contrat moral auquel on ne déroge pas, des limites que nous ne sommes pas autorisés à franchir. Reprends-toi, bon sang. Dis-moi que tu me fais marcher, que tu ne penses pas un mot de ce que tu racontes.

— Je suis navrée.

Elle attendit la réaction de son mari. N'importe laquelle. Inébranlable et stoïque.

Adem ne voyait pas ce qu'il était possible de réparer. Il est des turpitudes que l'on ne soupçonne pas, des faillites que l'on ne surmonte pas, des prières aussi atroces que les peines perdues. Sa femme avait décidé de le quitter, aucun recours ne semblait en mesure de l'en dissuader. Tout venait de se figer dans la chambre : l'air, la colère, la souffrance, l'indignation. N'en subsistait, en guise de déni, que l'hébétude grandissante en train de le démailler fibre par fibre.

L'ampoule au-dessus d'eux se mit à clignoter avant de griller. Il fit noir dans la maison, noir dans les cœurs, noir dans les pensées. Adem ne percevait que son souffle en train de s'appauvrir tandis que l'obscurité s'alliait au silence pour faire diversion.

Puis Dalal se leva tel un esprit frappeur, empoigna la valise et le sac à main dans le vestibule et sortit de la vie de son mari.

Adem chercha un sens à son malheur, ne lui en trouva aucun. Il resta longtemps effondré, la tête entre les mains, à espérer que Dalal se ressaisisse et lui revienne. Un moment, il avait pensé courir la rattraper, mais il avait craint de se couvrir de ridicule. Le dernier autocar pour Blida était parti depuis des heures et aucun train n'était prévu à la gare.

La porte de la maison demeura ouverte sur la nuit. Adem n'eut ni le courage ni la force de la refermer.

Lorsque l'évidence vous met au pied du mur et que l'on s'évertue à chercher dans l'indignation de quoi se voiler la face, on ne se pose pas les bonnes questions, on triche avec soi-même.

Adem se traîna jusqu'à la cuisine plongée dans le noir. Il n'alluma pas. Peut-être s'estimait-il moins exposé dans l'hypothétique refuge que lui concédait l'obscurité. À tâtons, il finit par mettre la main sur une bouteille de vin.

Après avoir bu sa peine jusqu'à plus soif et râlé sans parvenir à expurger la moindre des toxines qui ravageaient son être, il se mit à arpenter le couloir et les pièces.

Ensuite, il s'écroula quelque part et, ivre de l'ensemble des misères de la terre, il pleura toutes les larmes de son corps.

Sa sœur aînée, qui habitait à l'autre bout du village et qui passait le voir par hasard après avoir fait son marché dans le quartier, le trouva couché sur le lit, chaussures aux pieds, un oreiller sur la figure.

Elle posa son panier par terre, jeta un coup d'œil aux alentours, remarqua que les étagères de l'armoire étaient presque vides.

— Elle l'a finalement fait, soupira-t-elle.

— Tu étais au courant ?

— Mon fils les avait vus derrière la gare, il y a quelques jours.

Adem se découvrit. D'un geste hargneux. Le masque froissé qui lui servait de visage ressemblait à un morceau de ruine.

— Et tu ne m'as rien dit.

— Je pensais pouvoir la raisonner.

— La raisonner ?

— Je l'avais mise en garde. Elle m'a dit que ça n'avait rien de sérieux, que c'était juste un ami d'enfance qu'elle avait connu du temps où sa mère travaillait chez les Gautier. Elle m'a juré de ne plus le revoir.

— Sauf qu'elle l'a revu.

La sœur s'assit lourdement sur le banc près du lit, en se triturant les doigts de gêne. Sa main tenta d'atteindre l'épaule de son frère ; Adem l'esquiva. Il ne supportait pas qu'on le touche. Il avait l'impression d'être une fracture ouverte.

— Ce n'est qu'une femme, Adem. Une de perdue, dix n'attendent qu'un signe de toi pour la remplacer, dit-elle pour tenter de le réconforter.

— Elle m'a fait mal.

— Ce sont les choses de la vie. Tu dois faire avec.

— Pourquoi moi ?

— Pourquoi veux-tu que ça n'arrive qu'aux autres ?

— Qu'ai-je à voir avec les autres, bon sang de bon Dieu ?

La sœur émit un hoquet dédaigneux.

Elle décréta, sentencieuse :

— Dieu n'est disponible que pour les morts, Adem… Quant aux vivants, ils n'ont qu'à se démerder.

Elle reprit la main de son frère. Adem la lui céda ; il n'eut pas la force de résister.

— Je me sens si sale, gémit-il.

— Ce n'est pas la fin du monde. La vie continue. Tâche de te ressaisir si tu ne tiens pas à ce que les mauvaises langues se délient.

Adem ramena l'oreiller sur son visage. Il ne voulait plus rien entendre. Chaque mot de sa sœur lui portait l'estocade. Ce qu'elle lui disait, il se l'était répété cent fois. Et cent fois, il n'y avait pas survécu.

— Je vais te faire à manger.

Elle lui caressa le bras, d'une main où la tendresse s'entachait de pitié.

— Conduis-toi en homme.

Elle se retira dans la cuisine, ne trouva pas grand-chose dans le frigo et dut se rabattre sur son panier.

Elle prépara de la soupe qu'elle porta à son frère.

— Je passerai te voir, ce soir. J'aimerais retrouver mon frère, et non son ombre. Un dernier conseil : ne cherche pas à noyer ton chagrin dans le vin. Tu coulerais avec.

Adem écrasa l'oreiller contre son visage, comme pour étouffer un cri.

— Je lui ai toujours été fidèle.

La sœur accusa un haut-le-corps. Elle se tourna violemment vers son frère, horrifiée par ce qu'elle venait d'entendre. Sa voix roula dans sa gorge comme une pelote d'épines :

— C'est la fidélité qui empêche les chiens d'être autre chose que des chiens. Fais montre d'un minimum de retenue, s'il te plaît. Un homme qui pleure une garce ne mérite pas d'être mieux traité qu'elle.

Sur ce, elle lui jeta un dernier regard, chargé cette fois de mépris, et sortit dans la rue, son panier au bras.

Adem sursauta lorsque la porte extérieure claqua. Aussitôt, toutes les misères de la terre redéployèrent leur siège autour de sa solitude.

2.

Adem ne retourna pas à l'école où il enseignait le calcul aux élèves du CP, et les leçons de choses aux CE1.

Les premiers jours, il montait la garde devant la fenêtre de sa chambre – le matin, à guetter le retour improbable de sa femme ; l'après-midi, à regarder défiler les heures comme passent leur chemin les dieux qui se fichent éperdument du malheur des hommes. Les jours suivants, il resta au lit à fixer le plafond et à attendre la nuit pour se rabattre sur l'unique bar du village. Il s'installait dans un coin en tournant le dos au comptoir, descendait ses bières les unes après les autres puis, le zinc se saturant de bruit et de fumée, il partait raser les murs. Lorsque, par endroits, des chiens lui barraient la route, il s'emparait de ce qui lui tombait entre les mains pour les tenir à distance.

En rentrant chez lui, il retrouvait sa maison dans l'état où Dalal l'avait laissée car sa sœur n'était plus revenue lui rendre visite comme promis.

Le huitième jour, le directeur de l'école le surprit dans le jardin potager en train de brûler ses photos de famille et d'autres objets qui lui rappelaient trop de souvenirs. Le directeur était un monsieur d'un certain âge, impeccable dans son costume trois pièces, la chaîne de la montre de gousset en exergue sur le gilet, le fez élégamment incliné sur la tempe avec le chiqué d'un effendi.

— Je croyais que tu étais souffrant, monsieur Naït-Gacem, dit-il en déplorant les bouteilles de vin vides qui traînaient çà et là.

— C'n'est pas faux.

— Qu'est-ce qui ne va pas ?

— Ce qui a cessé de marcher.

En caleçon long et en tricot de peau maculé de taches brunâtres, les yeux cernés et la barbe mauvaise, Adem se mit à piétiner les pousses qui commençaient à s'enhardir au soleil.

— C'étaient des fèves. Avant, je cultivais de la menthe et de la laitue.

— Tu es sûr que ça va ?

Adem rejeta la tête en arrière dans un rire incongru qui défronça les sourcils du directeur.

— Y a pas de raison pour que ça n'aille pas. Je tiens encore sur mes pattes, non ? ajouta-t-il en écartant les bras en signe de robustesse. Mais on a beau être aussi blindé qu'un tank et malin à encenser le diable avec sa barbe, on est toujours en retard d'une esquive avec les coups du sort, n'est-ce pas, monsieur le directeur ?...

— Personne n'est à l'abri d'un impondérable, Sy Naït-Gacem.

— Pour quelle raison ? On est quoi sur cette terre ? Des cibles en carton ? Pourquoi faut-il se réjouir un instant pour en pâtir dans la minute qui suit ? Ce n'est pas juste.

— Est-ce que je peux me rendre utile à quelque chose ?

— Et comment !

Adem se précipita à l'intérieur de la maison et revint avec des clefs.

— Vous avez bien fait de passer me voir, monsieur le directeur. Je vous restitue le logement de fonction que vous m'avez attribué.

— Qu'est-ce que ça veut dire ?

— Que je rends mon tablier.

— Tu n'es pas sérieux.

— Pourquoi ne le serais-je pas ? Je n'ai aucune raison de moisir dans cette bourgade de malheur.

Le directeur repoussa les clefs d'une main désapprobatrice.

— C'est bientôt la fin de l'année scolaire, voyons. Tu ne peux pas nous fausser compagnie de cette façon, sans préavis ni justification. Nous manquons d'enseignants et les élèves…

— Je m'en contrefiche, le coupa Adem.

— C'est à cause de l'inspecteur d'académie ? Il est grincheux, mais il n'est pas méchant. Il t'a bien noté… Je sais que tu mérites une promotion, que tu l'attends depuis longtemps. Il faut être patient. Le temps, c'est de l'argent.

— Je n'ai ni l'un ni l'autre. Et ça n'a rien à voir avec ma carrière d'instituteur. Je claque la porte, point, à la ligne.

— Où comptes-tu aller ?

— Là où je n'aurai pas besoin de sourire lorsque je n'en ai pas envie, ou de dire bonjour tous les matins à des gens qui m'insupportent ou bien encore de faire confiance à des êtres qui n'en sont pas dignes.

Le directeur souleva son fez pour s'essuyer le crâne avec un mouchoir.

— Ces endroits n'existent pas, Sy Naït-Gacem. Vivre en société, c'est accepter l'épreuve du rapport aux autres, de tous les autres, les vertueux et les sans-scrupules. En société, nul ne peut observer la morale sans se faire violence. Il y a des ermites qui croient, en s'isolant, l'observer dans la sérénité. Ceux-là trichent avec eux-mêmes. La morale ne s'exerce que parmi les autres. Fuir ces derniers, c'est fuir ses responsabilités.

— Je ne fuis pas mes responsabilités, j'y renonce.

Adem quitta le village le jour même, avec pour tout bagage un sac en toile cirée contenant des sous-vêtements, trois pantalons, quatre chemises, un cahier d'écolier et un vieux livre d'un auteur russe. Il ne fit pas ses adieux aux voisins ni à sa sœur. Il sauta dans le premier autocar pour Blida, dîna dans une gargote, au milieu d'un ramassis de pauvres bougres, et passa la nuit dans un hammam qui faisait office d'hôtel de transit la nuit.

Au premier appel du muezzin, le gérant du bain maure pria tout le monde de débarrasser le plancher. Le jour ne s'était pas encore levé lorsque Adem se retrouva à la rue, son sac sur l'épaule.

Il se refugia dans le café de la gare. Trois cheminots occupaient les lieux, les mains zébrées de cambouis. Ils parlaient des retards qu'occasionnaient les pannes des locomotives, des pièces de rechange qui n'arrivaient pas et du zèle révoltant des bureaucrates. Le plus âgé, qui avait du poil aux oreilles et une moustache roussie par le tabac, expliquait à ses collègues que c'était normal, pour un pays qui venait à peine d'accéder à l'indépendance, de subir des dysfonctionnements par moments. Ses camarades secouaient la tête, nullement convaincus.

Avant qu'ils rejoignent leur poste, l'un des cheminots offrit une cigarette à Adem sans que ce dernier le lui demandât. Ce fut ce matin-là qu'Adem se mit à fumer. Il n'avait jamais fumé auparavant.

— Tu n'es pas du coin, supposa le cafetier à l'adresse Adem.

— Non.
— Tu viens d'où ?
— De très loin.
— Tu cherches du travail ?
— Je cherche quelqu'un.
— Il habite à Blida ?
— Il habite là-dedans, maugréa Adem en tapant du doigt sur son crâne.
— Holà ! mon gars, il n'y a que des trappes obscures à cet endroit, le prévint le cafetier. Il faut éviter de se prendre la tête. La vie est ce qu'elle est et personne n'y peut rien. Il y a ceux qui boivent le calice jusqu'à la lie et ceux qui pissent dans le Graal.
Adem préféra ne pas s'étaler sur le sujet. Il ingurgita son quignon de pain beurré, avala le reste de son café, pressé de quitter les lieux qui, soudain, l'indisposaient.
— C'est combien ?
— C'est offert, lui dit le cafetier. De bon cœur.
Adem laissa quand même de la monnaie sur le comptoir et sortit dans la rue en se demandant si la déchéance n'avait pas déjà commencé pour lui.

Ah ! Blida.
Sultane languissante, un bras sur le ventre engrossé d'épopées, l'autre négligemment accoudé à la montagne, Blida rêvait de ses mythes, ivre de soleil et d'encens.
Qu'est-il advenu des jours heureux ?
Adem Naït-Gacem avait beau feindre de s'intéresser aux devantures des magasins, aux enseignes des bars, aux squares grouillants de gamins turbulents, son tourment ne le quittait pas d'une semelle.

Parfois, il prenait place sur un banc et essayait de ne penser à rien. Sa tête refusait de se défaire de son chahut. Il interrogeait les moments de joie et les nuits idylliques qu'il avait partagées avec Dalal sans accéder à une seule réponse susceptible de tempérer son chagrin. « *Est-ce que tu m'aimes ?* lui demandait Dalal après avoir fait l'amour. — *En doutes-tu ?* — *Combien m'aimes-tu ?* — *Je t'aime autant qu'il y a d'étoiles dans le ciel, plus une.* » C'était au début de leur mariage, lorsque, comblés, ils dormaient sur un tapis volant. Puis, d'année en année, Dalal ne cherchait plus à savoir si son mari l'aimait, et Adem n'était plus obligé d'exagérer. Ils dormaient toujours dans le même lit, sauf que chacun écoutait l'autre s'assoupir de son côté. Leurs étreintes s'étaient ramollies, leurs baisers n'avaient plus de saveur. La routine émoussant les passions, il leur arrivait de se croiser dans la maison sans vraiment se rencontrer, de manger à la même table sans se parler et il semblait à Adem que, malgré tout, ils se suffisaient et qu'ils n'avaient pas besoin d'en rajouter. C'est vrai, ils n'avaient pas d'enfants ; Dalal avait du mal à cacher sa tristesse lorsque les bambins du voisinage venaient gambader autour de la maison – ne sont-ce pas les choses de la vie ? Beaucoup de couples subissent la même incomplétude sans en être handicapés pour autant ; ils se débrouillent pour colmater les interstices de leur bonheur et ça fonctionne.

Adem alluma une cigarette, fuma à se brûler les doigts ; ensuite, il retourna dans le souk et se laissa emporter par la cohue. Les cris des marchands et les vociférations des enfants couvraient ses bruits intérieurs à lui. C'était un beau jour de mai de l'année 1963. La Mitidja répandait ses senteurs délicates à travers la plaine, sauf que Blida se faisait belle strictement pour ses soupirants. Vautrée au milieu de ses vergers, elle baignait dans son narcissisme mystique, fière de son avenue enguirlandée de roses et de son kiosque à musique où, jadis, la fanfare militaire cadençait le pouls des badauds.

C'est à Blida qu'Adem avait rencontré Dalal. Il débarquait des Hauts Plateaux où il avait vu le jour dans un hameau sentant le four banal et l'enclos à bestiaux. Fils d'un maréchal-ferrant, il avait connu la misère des spoliés et tapé pieds nus dans des ballons de chiffon. À l'école, il était au premier rang de la classe, prompt à lever le doigt et à répondre juste aux questions de l'instituteur, un Alsacien filiforme et chenu aux boutons de blouse constamment décalés. Adem fut l'un des rares élèves de son douar à décrocher le certificat de fin d'études. Il ambitionnait de rejoindre la faculté pour devenir avocat, mais les débouchés de l'Indigénat avaient leurs limites. Lorsqu'il avait obtenu son diplôme d'instituteur, toute la tribu l'avait célébré. Il fut muté dans une école primaire à Oued Mazafran, une bourgade oiseuse à mi-chemin entre Blida et Koléa. Un samedi, tandis que le soleil élevait les vergers au rang de jardin d'Éden, Adem s'était rendu en ville se changer les idées. En entrant dans une boutique acheter un réveille-matin, il eut le coup de foudre pour la demoiselle qui tenait la caisse. Elle était jolie comme un songe d'été, avec ses grands yeux nacrés et ses cheveux noirs qui cascadaient sur ses épaules.

De petits messages griffonnés sur des bouts de papier en lettres enflammées, il avait fini par convaincre la jeune fille de lui accorder une chance. Dalal avait beaucoup hésité avant d'accepter de le rencontrer près du lycée, à la sortie des classes pour couvrir leur retraite. Ils se revirent tous les dimanches, dans le noir des salles de cinéma, et se marièrent quelques mois plus tard.

Dalal était une fille de son temps. Elle avait grandi parmi les Européens, dans une maison en dur avec des rideaux aux fenêtres et deux petits balcons fleuris. Sa mère, veuve d'un livreur de barbaque, travaillait comme domestique chez les Gautier, de riches négociants qui possédaient des commerces et des entrepôts un peu partout dans la région, y compris à Alger. C'était Dalal qui lui avait appris, à lui l'enfant d'une bourgade sinistrée des Haut Plateaux, à regarder le monde avec des yeux « modernes », à s'habiller correctement, à veiller sur sa façon de parler et de marcher parmi les citadins. Avant, il n'était qu'un campagnard conscient de son retard sur son époque – n'avait-il pas déserté sa tribu pour renaître à une ère nouvelle ?

Adem se demanda s'il n'était pas revenu à Blida conjurer le sort et s'inventer une virginité. Mais à aucun moment il n'eut le courage de se hasarder dans les endroits qui porteraient encore l'empreinte des souvenirs heureux. Il ne revit ni la boutique de son éveil à l'amour, ni la salle de cinéma où, pour la première fois, il avait osé prendre la main de Dalal, ni le lycée où ils s'étaient mêlés aux flots des élèves pour mieux se rapprocher. La ville des Roses le livrait en vrac à ses frustrations. Le pèlerinage ne prenait pas. Adem était juste en train de crapahuter dans le vide, de traquer ce qui avait cessé d'exister.

Le soir venu, Adem courut rejoindre un bar enfoui au fin fond d'un pertuis aux lampadaires crevés que hantaient quelques prostituées. Un ivrogne fanfaronnait au milieu de la chaussée, une bouteille de vin dans une main, un canif dans l'autre. Il harcelait une fille tapie dans une porte cochère :

— Allez, Loulou, pas de chichis.

— Dégage, je te dis.

— Avant, t'étais gentille avec moi.

— J'suis pas ta mère.

— Ne parle pas de ma mère, salope. Elle est morte.

— Au moins, elle n'est plus obligée de te supporter.

— Je n'ai besoin de personne, moi, s'emporta l'ivrogne en manquant de s'éborgner avec son couteau. J'suis assez vacciné pour m'arranger avec la vie.

— Tu parles d'une vie, lui lança une grosse rombière, le pied contre le mur. Tu ferais mieux de déguerpir avant que Mourad se pointe. S'il te trouve là, il va encore te transformer en pâtée pour chiens.

L'ivrogne lança contre le mur la bouteille qui se brisa dans un fracas assourdissant.

— Qu'il essaye de m'approcher, ta petite frappe de Mourad. J'suis pas venu les mains vides, cette fois, avertit-il, le canif en évidence.

En pivotant sur lui-même, l'ivrogne tomba nez à nez avec Adem. Ce dernier bondit en arrière, plus effrayé par la physionomie de l'ivrogne que par la lame qui s'agitait dans tous les sens. Pendant quelques secondes, Adem crut être face à un miroir. L'ivrogne lui ressemblait comme un jumeau – même visage torturé, même regard blanc, même spectre dépenaillé.

Adem battit en retraite, pourchassé par le rire sardonique des prostituées. Après une course éperdue, il s'arrêta pour voir s'il n'était pas poursuivi. Hormis un chat farfouillant dans un tas d'ordures, la rue était déserte. Toutes les portes étaient closes et peu de lumière filtrait aux fenêtres qu'escamotaient d'épais volets.

Adem s'accroupit contre un mur pour recouvrer son souffle. Il ne se souvenait pas d'avoir eu à affronter une arme de si près, mais les traumatismes de la guerre le rattrapaient chaque fois qu'une altercation ou un vent de panique se déclenchait.

— Ne restez pas là, s'il vous plaît, chuchota une voix de femme à travers les volets.

Adem se tourna vers la fenêtre qui le surplombait.

— J'ai besoin de reprendre mes sens.

— Allez les reprendre plus loin, je vous en prie. Ici, c'est une maison honnête. Mon mari va bientôt rentrer. Il n'aime pas trouver des inconnus devant sa porte.

— Je ne fais rien de mal, madame.

— S'il vous plaît, mon mari va s'imaginer des choses et après, c'est moi qui recevrai le ciel sur la tête.

Adem tenta de deviner qui se tenait derrière les volets, ne décela qu'un bout de silhouette. Il poursuivit son chemin jusqu'à un bar retranché au fond d'une impasse.

Quelques clients étaient penchés sur leurs assiettes. Des paumés aux sourcils bas. Ils mangeaient en bavardant, attablés au milieu d'un capharnaüm encombré de bouées de sauvetage, de carapaces de tortues, de portraits de matelots et d'aquarelles naïves représentant des dauphins dansants.

Au comptoir, un géant en marinière contemplait les tatouages sur ses bras. Il paraissait fier de ses muscles surtout. Un freluquet, en face de lui, hésita avant de laisser courir un doigt hardi sur les dessins.

— J'aimerais bien avoir les mêmes. De beaux tatouages bien verts avec des silhouettes de femmes nues, et des serpents, et des poignards, et des jurons sur les poignets…

— T'as pas assez de peau sur les os, observa le barman.

— J'suis pas obligé de les avoir que sur les bras. J'ai une poitrine et un dos.

— Peut-être, mais pas suffisamment de couilles pour finir au bagne. Parce que mon artiste à moi, c'est au biribi que je l'ai connu.

— T'as été au bagne pourquoi ?

— À ton avis ?

Le freluquet plissa un œil comme s'il cherchait à deviner ce que le barman taisait. Le sourire de murène qu'affichait le géant le découragea aussitôt. Il vida son verre d'une traite, en commanda un autre.

— Tu sauras pas retrouver ton chemin, après, tenta de le dissuader le barman.

— M'en fiche. J'ai envie de me soûler jusqu'à prendre un cochon pour un éléphant rose.

— C'est toi qui vois, céda le barman.

— Est-ce que je peux téléphoner de chez toi ?

— Si tu promets de désinfecter le combiné avant de raccrocher.

L'homme tituba vers un box, s'empara d'un appareil téléphonique d'un autre âge, forma un numéro et, le combiné plaqué contre l'oreille, se mit à compter les lézardes au plafond. Personne ne décrocha au bout de la ligne.

Adem s'installa dans une sorte d'alcôve au fond du boui-boui, face à un vieux musicien aux yeux ravagés par le trachome qui grattait distraitement les cordes d'un luth. Au-dessus de lui, une affiche représentant un boxeur basané s'écaillait sur la pierre. À côté d'elle, entre deux mousquetons rouillés, trônait un cadre en bois au fond duquel un patriarche enturbanné, moustache torsadée et poitrine ornée de grosses médailles, posait pour la postérité.

Adem fit signe au garçon, opta pour un ragoût de tripes et une bouteille de vin et se prépara à s'enivrer.

Adem s'aperçut que, hormis le musicien qui continuait de taquiner son luth, tous les clients étaient rentrés chez eux.

— Il est minuit passé, lui rappela le garçon.

— Et c'est quoi ton problème ?

— Il faut qu'on ferme.

— J'ai pas fini ma bouteille.

— Tu en as déjà sifflé une.

— Laisse tomber, Alilo, lança le barman en astiquant son comptoir. Je l'ai à l'œil.

Le garçon toisa Adem avant d'aller ranger les chaises sur les tables.

Le musicien se trémoussa sur son siège en se raclant la gorge :

— Le garçon a raison. Tu devrais lever le pied. Les rues ne sont pas sûres, de nos jours. Surtout pour les poivrots. On ne les blaire pas, par ici.

Adem l'ignora.

Le musicien sourit, et tout son visage se fripa.

— Chagrin d'amour ?

— De quoi je me mêle ?

Sans se défaire de son sourire, le musicien tira sur un pan de son burnous pour mieux s'asseoir, effleura son luth d'une main caressante. Il déclama :

Si ton monde te déçoit sache
Qu'il y en a d'autres dans la vie
Sèche la mer et marche
Sur le sel de tous les oublis

Sèche la mer et marche
Ne t'arrête surtout pas
Et confie ce que tu cherches
À la foulée de tes pas

— De quelle mer parles-tu, vieillard ? dit Adem avec dégoût.

— De celle de tes larmes.

Adem comprit qu'il ne pourrait plus boire en paix et qu'il ferait mieux d'aller cuver son vin ailleurs. Il se leva en maugréant de mécontentement.

— Où vas-tu ? lui demanda le musicien.

— Noyer le poisson, rétorqua Adem.

Adem quitta le bar comme on émerge d'un gouffre. Dehors, la nuit lui en proposa d'autres, il choisit de les prendre tous pour couvrir sa retraite.

Le gérant du hammam n'était pas ravi de voir débarquer chez lui un ivrogne débraillé au visage cireux et aux lèvres encombrées d'écume. Il se pinça le nez à cause de l'haleine avinée de l'instituteur qu'il somma, d'une main péremptoire, de ne pas trop s'approcher.

— On n'accepte pas de soûlards chez nous. Et il est presque deux heures du matin.

— Je n'ai pas où aller, bafouilla Adem, la main contre le mur pour ne pas s'écrouler. (Il montra la trace d'un coup sur sa joue.) Je viens de me faire agresser. On a voulu me voler mon sac. Je n'ai rien dedans, hormis des vêtements. S'il te plaît, laisse-moi attendre le lever du jour chez toi. Le temps s'est rafraîchi et il va pleuvoir.

Le gérant réfléchit, un doigt sur les lèvres. Après avoir longuement dévisagé le pauvre bougre incapable de tenir sur ses jambes, il céda, écœuré et peiné à la fois.

— Pour ce soir, je fais une exception. Mais ne t'avise pas de revenir demain si tu n'es pas sobre.

— Merci.

— Tâche de ne pas déranger les clients. Ce sont de braves paysans qui viennent chercher du travail en ville. Certains ont frappé à toutes les portes sans succès et ils sont crevés.

— Je vais juste dormir, monsieur. Je te promets que…

— Pas de promesse. Si tu ne te tiens pas tranquille, je te foutrai dehors. Et puis, prends un bain. On dirait que tu sors d'un caniveau.

Le lendemain vers minuit, ivre à ne pas pouvoir mettre un pied devant l'autre, Adem se présenta de nouveau au bain maure.

Le gérant lui opposa un *pas question* catégorique.

— J'ai de quoi payer.

— L'argent ne règle pas tout. Tu devrais t'acheter un minimum de retenue avec. Je t'avais prévenu, hier. Ne reviens que si tu es sobre. Mais tu es encore ivre, et tu pues de la gueule comme une hyène.

Adem n'insista pas. Il n'avait plus la force d'insister.

Un éclair fulmina. Aussitôt, une trombe d'eau s'abattit sur la ville.

— Tu vois ? fit Adem. Je ne t'ai pas menti.

— Dégage. Trouve-toi un trou et fais-y le mort. Tu es plus à plaindre qu'à damner.

Adem se dépêcha vers d'autres bains maures ; il eut droit au même refus. Il songea à passer la nuit dans un bordel, mais il n'était pas sûr que la proximité d'une femme puisse l'aider à oublier la sienne. Il décida de se rendre à la gare où il échoua dans un état lamentable. Le hall était désert. Adem se traîna jusqu'à un banc et se coucha dessus. Dehors, l'orage tonitruait de toute la colère des dieux, fouettant le ciel de foudres tentaculaires dont les reflets remplissaient la grande salle d'ombres monstrueuses.

Adem plongea les mains entre ses cuisses et se recroquevilla sur lui-même pour se réchauffer. Il n'eut pas le temps de s'assoupir. Deux soldats au casque blanc, brassard frappé des initiales de la police militaire et matraque au poing, le sommèrent d'évacuer les lieux.

Adem élut domicile dans un conteneur sur une aile de la gare, de l'autre côté des hangars et des ateliers, là où les chiens errants, las d'être lapidés, s'accordaient un hypothétique répit. La journée, il gravitait à la périphérie des quartiers populeux, échouait parfois sur un banc public où des gamins délurés venaient le moquer ; le soir, il se précipitait dans le premier bar sur son chemin pour boire jusqu'à ce qu'on le jette dehors. Il réintégrait son sarcophage en chavirant, se recroquevillait dans un coin et, le sac roulé en oreiller, il meublait ses insomnies avec des fragments de délire. Comme il n'y avait pas de remède à son chagrin, des idées monstrueuses se mirent à infecter ses pensées. Qu'attendre des lendemains ? Un jour qui se lève, un soleil qui se couche ? Et après ? Pourquoi continuer de se prêter à un jeu d'ombres qui le disqualifiait d'office ? Il n'était plus rien, Adem, un être sans effets, nu de chair et d'esprit, une nullité qui se nourrirait des absences et du silence en s'y diluant inexorablement. L'existence lui parut soudain comme une aberration que l'on tente d'apprivoiser avec des prières plus absurdes encore tant paraissait flagrante l'inconsistance de toute chose en ce monde.

Une nuit, tandis qu'il composait avec ses divagations d'ivrogne, deux clochards envahirent le conteneur et menacèrent de l'égorger s'il ne débarrassait pas le plancher. Adem ramassa en catastrophe ses bouts de misère et céda la place sans se retourner. Le matin le trouva assis au bord de la voie ferrée, les coudes sur les genoux et la tête entre les mains, soûl et désemparé. Il fixait les rails qui étincelaient au soleil. De l'autre côté de la voie, accroupi au pied d'un arbre rachitique, un hère déguenillé l'observait. Adem était sûr qu'il s'agissait du Malin que la diablerie des hommes avait relégué au rang d'un vulgaire charlatan, ne lui laissant à corrompre que les âmes suicidaires, les gamins trop fragiles et quelques idiots mal lunés.

Le Malin attendait patiemment que l'instituteur ait le courage d'aller au bout de ce qui lui trottait dans la tête. Mais Adem ne bougeait pas. Il contemplait les rails, la figure aussi usée que le col de sa chemise.

De guerre lasse, ne voyant rien venir, le Malin lui dit :

— Quand c'est fichu, c'est fichu. Il ne faut pas se voiler la face. Qu'espères-tu au juste ? Des jours meilleurs ? Ils sont loin derrière toi. Tu es au bout du rouleau, mon gars. Y a rien pour toi en ce monde, à part le mépris et la peine. Allez, du cran, bon sang. Mets-toi au milieu des rails et lance un bras d'honneur au train qui arrive. Tu n'auras même pas le temps de souffrir. En une fraction de seconde, tes problèmes seront réglés.

Le train passa. Adem ne perçut qu'un effroyable tumulte métallique qu'accompagnait un sifflement strident. Il lui sembla que la terre entière tremblait, et toutes ses fibres en firent autant.

Lorsque le silence revint se poser sur la voie ferrée, avec la précaution d'un nuage de poussière après la tornade, Adem sortit une bouteille de vin de son sac et se mit à boire au goulot. Jamais breuvage ne lui avait paru aussi immonde. C'était comme s'il se désaltérait de son propre sang.

— Tu te soûles au vu et au su de tout le monde, maintenant ?

Adem manqua d'avaler de travers. Une bande d'adolescents le toisait avec dégoût. C'étaient des chasseurs de chardonnerets, reconnaissables à leurs cages remplies d'oiseaux. Le plus grand, une baïonnette sous le ceinturon, shoota dans un caillou en direction de l'ivrogne.

— Tu sais ce qu'on fait aux mécréants de ton espèce ? On leur coupe les oreilles et le nez comme aux traîtres.

— Les poivrots, c'est pire que les traîtres, renchérit un petit noiraud droit sorti d'une toile de Gaston Gasté, avec sa chéchia rouge et son abaya crasseuse.

— Si Dieu l'a mis sur notre chemin, prophétisa un gringalet au visage criblé d'acné, c'est pour qu'on lui règle son compte, à ce démon.

Adem ne comprit pas tout de suite ce qu'on lui voulait. Un coup de pied le renversa sur le dos ; un deuxième l'atteignit au menton. Les gamins s'acharnèrent sur lui avec une rare férocité en l'insultant et en lui crachant dessus. Lorsqu'ils constatèrent que l'homme ne réagissait plus, ils ouvrirent leur braguette et lui urinèrent dessus.

3.

Si ton monde te déçoit sache
Qu'il y en a d'autres dans la vie
Sèche la mer et marche
Sur le sel de tous les oublis…

psalmodiait un aveugle au bord d'une falaise crayeuse. Sa robe claquait dans le vent. Une nuée de luths ailés voltigeait dans le ciel rouge sang. Brusquement, le sol s'effrita sous les pieds du musicien, et un pan du ravin bascula dans le vide…

Adem se réveilla en sursaut dans une salle inondée de lumière, un sifflement perçant dans les oreilles. Il crut un instant qu'il était au pays des morts. Il ferma les yeux pour recouvrer ses esprits. Lorsqu'il les rouvrit, il remarqua qu'il avait le poignet pansé et la tête dans un bandage, qu'il portait un pyjama qui n'était pas le sien et que ses bras étaient zébrés de bleus et d'éraflures – il en avait aussi sur le ventre et sur les jambes.

— Il faut appeler la permanence, fusa une voix.

Adem s'aperçut que d'autres lits enserraient le sien.

— Le major a dit qu'il faut pas que tu te lèves, le prévint la voix.

— Où suis-je ?

— On n'est pas autorisés à te parler.

Lentement, Adem émergea du brouillard. Il commença par distinguer ses voisins de chambrée les plus proches, puis ceux du fond dont l'un faisait le pied de grue sur un tabouret.

— Tu vas te casser la figure, Bogarne, grogna un grand échalas.

— Je tomberai pas, le rassura l'équilibriste. Le major a dit qu'il faut que j'apprenne à me tenir à carreau.

— Dans ce cas, accroche-toi à la fenêtre.

— Je brûle pas les étapes, moi.

Adem crut halluciner. Les individus qui le cernaient portaient le même pyjama délavé, étaient plus ou moins éclopés ; il émanait d'eux des ondes dérangeantes.

L'homme assis en tailleur sur le lit de droite avait une drôle de tête. Ses yeux globuleux, d'un gris minéral, étaient parcheminés de veines sanguinolentes et son nez violacé portait la trace d'un violent choc.

— Un crocodile m'a arraché les doigts à Oued Jar, dit-il à Adem en exhibant sa main mutilée.

— C'est pas ce que tu m'as raconté, Driss, objecta le grand échalas.

— Et qu'est-ce que je t'ai raconté ?

— J'ai oublié. Mais s'agissait pas d'un crocodile.

— Comment tu sais si tu t'en souviens pas ?

— Parce qu'il n'y a pas de crocodiles en Algérie.

— Tu as été à Oued Jar, toi ?

— J'ai pas besoin d'aller dans ce fichu bled pour savoir s'il y a ou pas des crocodiles. J'ai une mémoire de rancunier. Si t'avais parlé de crocodile, ça ferait tilt dans ma tête.

— Rien ne fait tilt dans ta tête, Brik. Parce que t'es marteau à faire jaillir des étincelles sur une enclume.

— Répète voir ça, Driss.

— T'es marteau, t'es marteau, t'es marteau.

— D'accord. Si c'est comme ça, je dirai au major que tu as parlé au nouveau.

— Dis-lui ce que tu veux. J'ai pas peur de ton major.

— Je lui dirai aussi que tu as dit, devant toute la salle, que tu n'as pas peur de lui.

Driss se calma aussitôt. Il considéra tristement sa main.

— Peut-être que j'ai confondu, admit-il. En tous les cas, c'était un gros lézard d'au moins deux mètres, avec des mâchoires en scies à métaux et une sacrée cuirasse sur le corps.

— Moi, j'sais où tu t'es bousillé la pince, dit Bogarne en équilibre sur le tabouret. À l'atelier. Tu l'as foutue dans le tour pour qu'on te renvoie chez toi, et ça n'a pas marché. Personne ne sortira d'ici. On va tous crever dans cette prison. Et tout ça, à cause de qui ? À cause d'Ève qui a obligé son enfoiré de jules à bouffer la pomme interdite. Résultat, on est dans la merde jusqu'à la fin des temps.

Adem sursauta au mot « prison ». Il se tourna vers la fenêtre ; elle était barreaudée.

— Quelle prison ? s'enquit-il, pris de panique.

— On n'est pas autorisés à te parler, lui rappela Driss.

— On va clamser les uns après les autres dans ce camp de dingues, reprit Bogarne en chavirant sur le tabouret.

— Ici, au moins, on est à l'abri, décréta Brik. Y a la guerre, dehors.

— La guerre est finie, hurla Driss.

— Alors pourquoi ça tire de tous les côtés, la nuit ?

— Personne ne tire plus depuis des mois. Pas vrai, Bogarne ? Dis-lui que c'est dans sa tête que ça barde.

Brik remua sa carcasse pour s'asseoir sur le rebord de son lit. Des tatouages épouvantables lui bigarraient les bras. Ses sourcils fournis lui conféraient un air dément.

— Si, ça tire toutes les nuits, dit-il. J'ai pas rêvé.

— Dans ta tête, dans ta tête, dans ta tête, s'emporta Driss en se frappant le front avec hargne. La guerre est finie. Faut que tu arrêtes avec ça. Sinon, un de ces quat', le gaz moutarde va te sortir par les naseaux et du napalm par le trou du cul.

— Silence, là-dedans ! tonna une voix autoritaire. C'est quoi, ce cirque ? Tout le monde au lit, et que ça saute. Et toi, Bogarne, descends fissa de ce tabouret… C'est pas vrai. Il suffit qu'on vous perde de vue une seconde pour que vous ruiez dans les brancards.

Un petit homme en tablier blanc se tenait dans l'embrasure, un stéthoscope autour du cou. Il attendit que Bogarne range le tabouret et regagne son grabat avant de pousser un chariot encombré de flacons, de rouleaux de pansement et d'ustensiles médicaux, en direction d'Adem.

— Où suis-je ? lui demanda ce dernier.

— À l'infirmerie de l'asile psychiatrique de Joinville.

— Quoi ?

— En plus, tu es dur de la feuille.

— Mais je ne suis pas fou.

— D'abord, on ne dit pas « fou », on dit « déficient mental ». Ensuite, ce n'est pas l'avis des gendarmes qui t'ont ramassé sur le ballast.

Adem chercha à se mettre sur son séant ; une douleur foudroyante le cloua au matelas.

— Il y a méprise. Je suis instituteur. J'ai toute ma raison, je vous assure.

— Ce n'est pas à toi de décider de ce genre de diagnostic. Le professeur est en mission. À son retour, il jugera si tu es sain d'esprit ou pas. Pour le moment, laisse-moi jeter un œil sur la blessure que tu as sur le crâne. Celle-là, elle est très moche. Pour ton genou, ce n'est pas bien méchant.

— Je suis là depuis quand ?

— Deux jours. Il fallait te voir quand on t'a réceptionné, comateux et tout. On aurait dit que tu avais été recraché par un dragon.

— Où sont mes affaires ?

— On a envoyé les vêtements que tu portais à la lingerie pour les désinfecter. Pour le sac et le reste, ils sont dans ma chambre.

— Rendez-les-moi et laissez-moi m'en aller. Je ne suis pas fou et je n'ai rien à faire ici.

— Ne t'avise pas de prononcer, une fois de plus, ce mot qui ne signifie pas grand-chose pour les scientifiques. On est dans un centre spécialisé. Il y a des médecins, des infirmiers qualifiés, des vigiles triés sur le volet, et il y a les patients. Moi, je suis le major. Les sanctions, c'est moi qui les distribue, ajouta-t-il en lançant un regard menaçant aux autres malades.

— Il rentre quand, le professeur ?

— Quand il aura fini sa mission.

— Je ne peux pas l'attendre. Je veux m'en aller, et tout de suite.

— Tu n'es pas en état de marcher. Laisse-moi t'examiner et changer tes pansements. Je te préviens, tu te tiens tranquille sinon, c'est la camisole et le tuyau d'arrosage. En l'absence du directeur, le patron, c'est bibi, major Flitti, qui redresse les torts et mate les plus forts. Qui c'est qui fait la pluie et le beau temps quand le professeur est absent ? cria-t-il à l'adresse des autres patients.

— C'est le major Flitti, répondirent à l'unisson ces derniers.

Adem était trop épuisé pour se rebeller. Il ferma les yeux et se livra à l'infirmier en priant l'ensemble des saints de la région de l'aider à se réveiller.

Après les soins, Adem dormit jusqu'à l'heure du déjeuner. Le repas qu'on lui avait servi déclencha un remous dans ses entrailles. Il appela les gardiens pour qu'ils l'emmènent aux cabinets. Personne ne se manifesta.

— J'ai un besoin pressant, dit-il à ses voisins de chambrée.

— C'est interdit de te causer, se contenta de grogner Driss.

Les autres se mirent à ronfler exprès pour ne pas être sollicités.

Un malade, qui jusque-là s'était montré discret, sauta hors de son lit et vint aider Adem à se mettre debout.

— Passe ton bras autour de mon cou.

Adem obéit en grimaçant de douleur à cause de son genou ankylosé. Le moindre mouvement le torturait.

— Je sais où te dégotter une béquille, lui promit le malade en le traînant presque. Appuie-toi sur moi. Ça va aller.

Ils clopinèrent le long d'un corridor jusqu'aux toilettes. Adem poussa un juron en découvrant les cabinets à la turque.

— Je vais faire comment pour m'accroupir, avec ma rotule raidie ?

Le malade ne sut quoi répondre.

Adem sautilla sur un pied en cherchant la manière la moins éprouvante de se baisser, ferma la porte du cabinet et se mit aussitôt à gémir.

Le malade se rafraîchit la figure dans les lavabos, puis il s'intéressa aux cernes qui lui pochaient les yeux. Avec son ongle, il taquina une verrue sur son menton.

— Faut pas en vouloir aux camarades s'ils ne t'ont pas aidé, dit-il en lissant son cou que ravinait une vilaine cicatrice. Ce sont les consignes. Le major est une vraie teigne. Il cherche la petite bête pour nous foutre à la porte. Aussi, tout le monde se tient à carreau pour rester le plus longtemps possible à l'infirmerie. C'est pas la vie d'château, l'infirmerie, mais c'est vachement mieux que la vie aux blocs. À l'infirmerie, on n'est pas obligés de tourner en rond sous le soleil dans la cour grillagée. On est peinards et on nous traite comme si on était en porcelaine. Chacun a sa ration et personne ne vient laper dans ta gamelle. Tu manges, tu avales tes cachets et tu dors.

Il se tourna vers la porte du cabinet, tendit l'oreille.

— T'es toujours là ?

D'énormes flatulences le rassurèrent.

— Tu t'appelles comment ?

— …

— Moi, c'est Laïd. C'est ce qui est écrit dans mon dossier. En vérité, j'sais pas qui je suis. J'ai eu un choc, d'après le professeur, et toute ma mémoire a été endommagée. Et toi ?

— …

— Driss raconte que c'est un crocodile qui lui a bouffé la moitié de la main. C'est pas vrai. Il a voulu jouer au malin en tripotant une grenade. Il ment comme il respire, Driss. Ce qu'il dit le matin, il le conteste le soir, et quand tu le coinces, il se fâche contre toi et te boude. Lui, il est givré pour de vrai. Il est à l'infirmerie parce qu'il a bu du crésyl. Chaque fois qu'il n'est pas content, il menace de se donner la mort. Mais ça ne marche plus, maintenant. Tout le monde s'en fiche qu'il s'empoisonne ou bien qu'il se pende avec ses lacets… Tu disais que tu venais d'où déjà ? J'ai pas retenu le nom de ton village.

N'obtenant pas de réponse, il se remit à se dévisager dans la glace.

— Moi, je m'rappelle pas d'où je viens. Mais j'sais où j'aimerais vivre. Quand je serai guéri, j'irai dans un pays où les gens sont tellement gentils qu'ils ne t'adressent même pas la parole. Tu dis bonjour, tu dis *salam*, personne ne remarque que t'es là. Sûr que ça me botterait de vivre dans un coin où il y a du monde et où tu passes inaperçu. Je veux pas finir dans ce camp d'internement. Si l'enfer existe, il ne peut pas être aussi chiant qu'ici.

Il se tut brusquement. Deux vigiles, les mains sur les hanches, le fixaient dans la glace. Ils étaient furieux.

— Le jour où l'on te pendra, Laïd, on n'aura pas besoin de corde. Ta langue suffira et il en restera encore un bout pour faire descendre ton cercueil dans la fosse.

— Le nouveau ne pouvait pas marcher, alors je l'ai aidé.

— Tu connais le règlement. Tu t'expliqueras avec le major.

Laïd baissa la tête, comme un galopin pris la main dans le sac. Avant de regagner la chambrée, il grommela :

— On ne peut plus prêter main-forte à son prochain, maintenant ?

— Dégage. C'est le meilleur service que tu puisses rendre à l'humanité.

Le lendemain, Adem se sentit un peu mieux. Un médecin lui prescrivit un traitement après l'avoir ausculté ; ensuite, ce fut le tour du psychiatre, un brave garçon aux lunettes épaisses, qui parlait doucement en prenant des notes dans un registre. L'entretien n'avait pas duré longtemps. Le psychiatre avait posé les bonnes questions, auxquelles Adem s'était plié avec beaucoup de franchise, pressé de prouver que sa présence au centre relevait d'une méprise. Le psychiatre donnait l'impression d'adhérer à cette probabilité, sauf qu'il se gardait d'avancer un mot à ce sujet.

La consultation terminée, on reconduisit Adem dans la chambrée et on le remit au lit.

Un infirmier installa une chaise devant la porte. Le major l'avait chargé de le prévenir immédiatement si l'un des malades semait la pagaille. Depuis, les cinq patients faisaient les morts sous leurs draps.

Adem dormit toute la journée, à cause des pilules qu'on l'avait forcé à avaler.

La nuit, le hurlement d'un loup l'arracha à son sommeil.

— C'est pas un loup, chuchota Laïd dans le noir. C'est Rex, du pavillon B. C'est pas un clebs, non plus. Il hurle à la pleine lune même lorsqu'il fait nuit noire. Lui, il est complètement désaxé. Il a tué deux bonnes sœurs pendant la guerre et un imam après la libération. Il dit qu'il est le diable et que quand il mourra, une fois au ciel, il mettra le feu au paradis. Il est peut-être le diable. Il n'y a que le diable pour blasphémer de la sorte.

Adem peina à s'extirper du lit. Il sautilla sur un pied jusqu'à la fenêtre pour voir ce qu'il se passait dehors. Hormis quelques lampadaires, toutes les lumières de l'asile étaient éteintes. Laïd le rejoignit, aussi furtif qu'un djinn. Il lui montra deux blocs derrière le grillage qui séparait l'infirmerie du reste de l'établissement.

— À gauche, c'est le pavillon A. À droite, c'est le pavillon B, réservé aux cas graves comme Rex. Toi, on t'affectera au pavillon A. T'as pas l'air d'un fou à lier.

Adem ne jugea pas utile d'entamer une discussion qui risquerait de relancer sa migraine.

En bas, sur le perron de l'infirmerie, un vigile fumait en tripotant l'antenne périscopique d'un minuscule transistor qu'il tenait sur sa cuisse. Il avait posé une gamelle à quelques mètres devant lui et attendait patiemment qu'un chat, visiblement sur ses gardes, vienne y laper. Le chat finit par s'approcher à pas feutrés, méfiant, en s'arrêtant de temps en temps pour observer l'homme assis sur le perron. Le vigile feignait d'orienter son poste de radio. Lorsque le chat se pencha sur la gamelle, une godasse le foudroya.

— Tu te crois à l'Armée du Salut, sale bête, lança le vigile au chat qui courut se mettre à l'abri dans un arbuste.

— Tout le monde est fêlé dans cet asile, à ce que je vois, soupira Adem.

— Sauf qu'il y a des catégories, tint à relativiser Laïd sans deviner à quoi l'instituteur faisait allusion. Nous, par exemple, on est récupérables, qu'il a dit le professeur. C'est pour ça qu'on est logés au pavillon A. Avant, on nous bourrait de calmants qui nous rendaient plus mous que la pâte à modeler. Maintenant, ça va. On divague de moins en moins et on est obéissants. Le professeur est certain qu'avec un peu de chance, on pourra rentrer chez nous. Sauf, peut-être, Bogarne. Lui, il s'améliore pas. C'est pas qu'il est dangereux, mais il est bouché comme c'est pas possible. Il fait tout ce qu'il lui passe par la tête, bien qu'il n'ait pas un gramme de cervelle. Mais, attention, c'est un sacré comique. Il ferait mourir de rire une veuve sur la tombe de son mari... (Il devint soudain grave et triste.) Pour les gens du pavillon B, c'est compliqué. Ils représentent une menace pour la société, d'après les médecins. On les garde ici pour ne pas les enterrer vivants. Autrefois, on les piquait. C'est ce qu'on raconte, en tout cas. Y a des meurtriers parmi eux. Des fois, au matin, il arrive que l'on découvre un cadavre dans les chiottes, ou bien dans son lit, étranglé avec un drap pendant qu'il roupillait. Rex, par exemple, il est tout le temps enfermé dans l'isoloir. On lui donne à bouffer à travers un judas. Il a failli déchiqueter un gardien, l'autre jour.

— Tu es ici depuis combien de temps ?

Laïd se racla la gorge avec plaisir, heureux qu'Adem s'intéressât enfin à lui.

— J'sais pas. Avant, j'ai été marié. C'est écrit dans mon dossier. Puis j'ai dégringolé comme une enclume dans la mare. J'ai eu un choc, qu'il m'a expliqué le professeur. Il m'a pas dit lequel. J'étais devenu une menace pour la société. (Il se tourna vers la lumière du lampadaire pour montrer la cicatrice sur sa gorge.) Je m'étais taillé ça moi-même avec un couteau, d'après le rapport. Je n'en ai aucun souvenir. D'ailleurs, je ne me souviens de rien. J'suis pas triste parce que je suis à l'hôpital ; je suis triste parce que j'ai pas d'histoire. C'est comme si j'étais tombé de la lune directement dans ce camp. Je dirai quoi au bon Dieu au Jugement dernier quand il me demandera : « Qu'est-ce que t'as fait de ta chienne de vie, Laïd ? » Que je ne me rappelle pas ? Il ne me croira jamais.

Puis ils se turent et restèrent longtemps accoudés à la fenêtre à écouter le bruissement de la brise et à observer le vigile en train d'attendre le retour du chat pour lui balancer son autre godasse.

Appuyé sur une béquille, Adem sortit de l'infirmerie pour aller prendre le frais dans un bout de jardin. La journée était belle, avec un soleil colossal punaisé au milieu du ciel. L'odeur des feuillages se joignait aux pépiements des oiseaux pour apaiser les âmes. Un contingent d'hirondelles dentelait les câbles des poteaux électriques. De loin provenait le crachotement d'un autocar. Adem ferma les yeux et s'abandonna à une sorte de quiétude intérieure. Par moments, une douleur fusait çà et là à travers ses chairs, mais l'ombre de l'arbre, au pied duquel il se reposait, semblait en résorber les effets.

De l'autre côté du jardin, derrière un muret surmonté d'un grillage barbelé, des spectres hagards faisandaient au soleil. Les uns se tenaient accroupis contre les palissades, la tête dans les mains ou bien menaçant des interlocuteurs invisibles ; les autres, les yeux révulsés, à peine perceptibles dans leurs pyjamas trop grands, arpentaient la cour sans répit. Ainsi crevotaient les pensionnaires de l'asile psychiatrique de Joinville – sans repères ni remise de peine. La plupart étaient d'un certain âge, livrés en vrac à l'inexorable érosion du corps après la décomposition de l'esprit. Les regarder se mouvoir au ralenti dans la lumière du jour était le plus navrant des spectacles.

Adem avait l'intime conviction qu'il n'avait pas échoué dans ce centre pour « déficients mentaux » par hasard.

— Ce qui nous différencie de ces pauvres bougres, lui avait dit un médecin, c'est une mince marge de manœuvre. Mince, mais capitale. Nous, les supposés sains d'esprit, on a encore le choix là où eux n'ont plus rien à espérer.

Avoir encore le choix.

Adem n'y avait pas pensé une seule fois depuis que Dalal était partie.

Avoir le choix, c'est avoir la chance de décider de son sort, contrairement à ces pauvres diables que plus rien de probant ne retenait sur terre – il lui appartenait donc à lui, Adem Naït-Gacem, l'instituteur démissionnaire, l'inconsolable « cocu » que son épouse avait bradé contre un amour voué au péché de la chair, de relever la tête comme il lui appartenait de sombrer.

Adem croyait avoir pris la route pour semer son malheur ou pour *chercher quelqu'un.* Il n'en était plus sûr, maintenant. On ne fuit pas son ombre et on ne rattrape pas ce qui n'est plus. Adem voulait seulement un début de réponse à ses questions, et le début de *la* réponse était là, sous ses yeux, à un jet de pierre : ces naufragés de la vie qui erraient dans la cour. C'était cela le premier jalon de la vérité – ces spectres déboussolés, qui avaient cessé de s'interroger et qui tournaient en rond, semblables à un carrousel déréglé, trimballant dans leur sillage le vrai visage du monde, celui d'une humanité imparfaite, injuste et cruelle avec laquelle il fallait composer coûte que coûte en otages consentants ou bien en victimes expiatoires. Adem mesurait les années-lumière qui le mettaient à l'abri de l'échec total, l'échec de ceux qui avaient perdu toute notion du temps et du sens et qui pourrissaient sur pied dans cet asile consternant où les anges et les démons ne faisaient qu'une seule et même entité. Elle était là, la réalité qu'il confondait avec une fuite en avant. Claire. Nette. Sans appel : il y a toujours, sur la terre des damnés et des titans, à mi-chemin entre la folie et le renoncement définitif, quelqu'un de plus à plaindre que soi.

— On devrait les piquer.

Un homme en short de safari, des bretelles élimées sur son torse nu, se tenait derrière Adem.

— Ça ne rime à rien de les laisser crever à petit feu dans cette cage, poursuivit-il. Je trouve ça obscène.

Adem hocha la tête pour ne pas répondre.

L'homme sentait la sueur des forçats. Il était grand, un peu voûté, le front large et le regard aride. Un cobra tatoué s'enroulait autour de son bras.

Il s'assit à côté de l'instituteur, remit à l'endroit une bretelle tombante. Après avoir contemplé le ciel, il se mit à masser ses genoux tailladés.

— Quel temps magnifique.

— N'est-ce pas ?...

— Tu es là pour quoi ?

— C'est une belle journée. J'aimerais en profiter.

— Dois-je en déduire que je te dérange ?

— Vous avez tout compris.

L'homme s'essuya énergiquement sous l'aisselle, porta sa main à son visage et la renifla.

— Tu n'as pas besoin d'être sur tes gardes, mon frère. Je ne constitue pas de menace pour la société. Je m'appelle Tarras. Je m'occupe de la lingerie. Je suis aussi magasinier et menuisier.

— Me voilà rassuré.

Remuant ses muscles à la manière des catcheurs, il dit, tout en admirant le relief prononcé de ses biceps :

— Qu'est-ce que tu leur trouves de fascinant, à ces pauvres bougres ? Personnellement, j'estime que c'est scandaleux de les exposer de cette façon. On devrait plutôt mettre fin à leur souffrance.

— Ce que vous dites est monstrueux, monsieur.

— J'suis pas un monstre. Ce n'est pas moi qui les ai créés.

L'homme proposa un paquet de Bastos qu'Adem refusa, vissa une cigarette au coin de la bouche et l'alluma avec un briquet à mèche. En rejetant la fumée par les narines, il posa la main sur le genou de l'instituteur.

— J'ai de la peine pour ces pauvres malheureux. Les voir tourner en rond dans cette cour noire de leurs silhouettes me brise le cœur.

— Je doute que vous en ayez un, monsieur.

L'homme retira sa main. Il ne paraissait pas affecté par les propos de l'instituteur.

— Faut pas croire que je suis cynique ou des trucs dans ce genre. Je parle en connaissance de cause. La mort n'est pas une fin, mais un éternel recyclage. Il n'y a ni paradis ni enfer, et Dieu ne s'est jamais mêlé de nos affaires.

— Vous devriez regagner votre lingerie, monsieur.

— Ne me prends pas de haut, mon gars. Si j'ai fini dans ce mouroir, c'est à cause de mon érudition. Lorsque tu développes une théorie qui n'est pas conforme à l'abêtissement en vigueur, on t'encamisole. C'est ce qui m'est arrivé. J'ai passé des mois au pavillon A. Eh oui, il y a des nations qui construisent des panthéons pour leurs génies, et d'autres qui les vouent aux gémonies.

Il parlait comme s'il récitait un texte qu'il connaissait par cœur sans en saisir le sens.

Adem pensa retourner dans sa chambre, mais il faisait si beau qu'à choisir entre un enquiquineur et l'ombre de l'arbre, il accepta les deux.

— Tu ne crois pas dans la réincarnation ?

— Je n'ai pas la tête à ça, en ce moment, dit Adem.

— Tu devrais y croire. Tu déprimerais moins. Notre corps n'est qu'un emballage. Tu as un visage auquel tu t'habitues et tu crois que c'est toi. Mais ce n'est pas toi. C'est seulement ton masque. En vérité, nous sommes des esprits. Nous squattons des chairs et nous pensons que ça fait de nous des personnes singulières. Balivernes ! Nous ne faisons qu'occuper indûment un corps qui ne nous tolère pas. Tu ne t'es jamais demandé pourquoi nous développons facilement une addiction pour ce qui nous détruit ? Le vin, la cigarette, la drogue, le vice, enfin toutes ces saloperies qui accélèrent la détérioration de nos organes vitaux ? C'est parce que le corps profané tente de *nous* expurger. *Nous*, c'est l'âme. Et l'âme est immortelle. Quand elle quitte un corps, elle rejoint le cosmos. Or, le cosmos n'est que ténèbres et gel sidéral. Il est d'un ennui ! Alors notre âme revient chercher un corps à squatter. N'importe lequel. Dès qu'elle localise un embryon dans le ventre d'une femme enceinte, elle l'investit. À l'aveugle. Sans précaution aucune. C'est ainsi qu'il y a ceux qui naissent avec une cuillère d'argent dans la bouche et d'autres avec un bât sur le dos. Ça a toujours fonctionné de cette façon depuis l'aube de l'humanité et ce sera ainsi jusqu'à la fin des temps.

— Et c'est pour quand la fin des temps ? ironisa Adem.

— Ça, c'est le grand point d'interrogation. Puisqu'il y a un début à tout, il doit y avoir une fin, forcément.

Il écrasa sa cigarette sous sa chaussure et se leva.

— Faut pas être triste, mon frère. Ça vaut pas la peine. Cette vie ne te convient pas ? Pas de problème. Tu sautes dans le vide. Qui sait ? Tu pourrais tomber dans le bon berceau. Si tu rates le coche, c'est pas grave. Ce ne sera que partie remise.

Il salua Adem d'une main désinvolte et s'éloigna en se dandinant, fier de sa théorie.

— J'ai une corde dans l'atelier, lança-t-il. Si ça te chante, je me ferai grand plaisir de te servir de témoin. La chaise n'est pas solide, mais la poutrelle tiendra bon. Il n'y a pas plus noble fin que mourir flanqué d'une superbe érection.

— Je tâcherai d'y réfléchir, lui dit Adem.

— Le plus tôt sera le mieux, mon frère.

L'homme enjamba un muret et disparut derrière une bâtisse.

Il faut que je me tire d'ici au plus vite, pensa Adem.

4.

— Je suis le professeur Ilyès Akerman, directeur du centre.

La tête chenue et le sourire las, l'homme paraissait plus vieux que son âge avec son bleu de chauffe et son air de meneur de grève convalescent.

Il invita Adem à s'asseoir sur une chaise.

Le bureau aurait tenu dans un mouchoir. Il donnait sur une courette que dominait un platane monumental. Quelques carreaux manquaient à la fenêtre, remplacés par des bouts de toile cirée. Des étagères occupaient les murs, encombrées de cartons, de revues racornies et de bibelots africains. Masquant une paroi décrépie, une carte de l'Algérie mettait en exergue la faune endémique de chaque région : fennec, varan, dromadaire, rapaces…

Sur la table, derrière laquelle se tenait le professeur, à côté d'un téléphone, reposait un livre. Adem reconnut le sien.

— Comment vous sentez-vous, monsieur Naït-Gacem ?

— Très bien.

— Vraiment ?

— Je vais bien, je vous assure.

Le professeur n'insista pas.

— Vous êtes instituteur, n'est-ce pas ?

— Oui, monsieur.

Le professeur montra du pouce le portrait d'un Noir au front volontaire qui souriait par-dessus sa tête dans un cadre en bois.

— Vous savez qui c'est ?

— Non, monsieur.

— C'est Frantz Fanon.

— J'ai entendu parler de lui.

— C'était un visionnaire et un grand humaniste. Il nous a beaucoup aidés dans ce centre. Vous devriez le lire.

Il tapota du doigt la couverture du roman posé sur la table :

— Nicolas Gogol... Excellent choix de lecture, monsieur l'instituteur. J'espère que vous vous intéressez aussi à nos écrivains. Nous avons de sacrées pointures : Dib, Zakaria, Senac, Mammeri...

— J'ai un faible pour la littérature russe. *Les Âmes mortes* est mon livre de chevet. Je l'ai lu une bonne dizaine de fois.

L'étincelle qui fulgura dans les yeux d'Adem n'échappa pas au professeur.

— Une bonne dizaine de fois ?

— Peut-être plus, dit Adem. Ce roman est un chef-d'œuvre. Chaque fois que je l'ouvre, je fais une découverte.

— J'en fais une, moi aussi, chaque fois que j'ouvre ma fenêtre.

Soupçonnant le piège, Adem observa le silence. Si les séances avec le psychiatre s'étaient déroulées dans des conditions encourageantes, la décision finale revenait à l'homme en face de lui.

— Parlez-moi un peu de Gogol, monsieur Naït-Gacem.

— C'est un conteur hors pair qui sait donner aux situations cocasses une portée philosophique. Son verbe est simple et son regard juste. Il est mort jeune, à peine la quarantaine, en 1852 à Moscou. De démence.

— De démence ?

— Probablement, sinon comment expliquer qu'un esprit aussi éclairé puisse sombrer dans la dévotion outrancière au point de refuser de se faire soigner par des médecins à l'hôpital ?

Le professeur tenta une autre amorce pour décrisper la tension sur le visage d'Adem :

— À ma connaissance, il était très ami avec Pouchkine.

— Ça n'a pas été le coup de foudre, au début. Gogol avait fait des pieds et des mains pour rencontrer celui qu'il considérait comme son maître. Ce dernier a beaucoup hésité avant d'accepter de le recevoir. Lorsque Gogol s'est présenté devant le domicile de son idole, on lui a claqué la porte au nez. (Adem se frappa la cuisse avec le plat de la main.) On l'a renvoyé comme un malpropre… Ce que Pouchkine a fait est mesquin. C'est la raison pour laquelle j'ai décidé de ne pas le lire.

La colère d'Adem impressionna le professeur.

— Ils ont réussi à être très proches, après. Pouchkine était devenu le mentor de Gogol.

— C'est vrai, mais je ne supporte pas que l'on prenne Gogol de haut. Personne n'est au-dessus de Gogol.

Le directeur tourna et retourna le livre, le feuilleta, parut chercher une page qu'il ne parvint pas à situer.

— Que représente pour vous la lecture, monsieur Naït-Gacem ?

— Observer les autres derrière un miroir sans tain.

— Comme un voyeur ou bien comme un planqué ?

— Je n'ai pas compris, monsieur.

— Vous dites que la lecture vous permet d'observer les autres derrière un miroir sans tain. Cela voudrait dire que vous êtes caché, que vous observez les gens sans qu'ils le sachent.

— Je ne me cache pas.

— Dans ce cas, pourquoi derrière un miroir sans tain ?

— Je me méfie des gens, avoua Adem. Ne me demandez pas pourquoi, je suis incapable de vous répondre. C'est un sentiment que je ne contrôle pas. C'est ainsi, et c'est tout. Les gens, je préfère les voir de loin.

Le professeur se prit le menton entre les doigts, les lèvres en avant.

— Qu'est-ce qui vous angoisse chez les gens ?

— Je l'ignore…

— Les livres ne vous ont pas suffisamment éclairé ?

— Je n'ai pas tout lu.

— Vous avez des amis ?

— Des collègues de travail, sans plus.

— Vous vous entendez avec eux ?

— Je ne les fréquente pas.

— Pour quelle raison ?

— J'ai peut-être tort, mais je suis ainsi : pas d'amis, pas de soucis.

— Mon père disait : « Si personne ne trouve grâce à tes yeux, sache que c'est toi qui ne vaux pas grand-chose. »

— Le mien se taisait tout le temps.

Adem était de plus en plus agacé par la tournure que prenait l'entretien aux allures d'interrogatoire, mais il était conscient de la nécessité, pour lui, de garder son sang-froid. Il n'aimait pas, non plus, l'acuité du regard qui semblait le fouailler de fond en comble avec l'impudique précision d'une radiographie, mettant à nu ce qu'il s'escrimait à dissimuler. Une appréhension teintée de vexation sourdait en lui ; il s'efforça de la contenir.

Le professeur joignit les mains devant sa bouche, réfléchit avant d'extirper de sa poche un petit peigne qu'il passa dans sa moustache. Les sourcils froncés, il continua de réfléchir, perdu dans ses pensées.

— Et si on laissait de côté la fiction pour interroger un peu la réalité ? Qu'est-ce qui a dysfonctionné en vous ?

— J'ai eu un choc familial auquel je ne m'attendais pas.

— Si l'on savait à l'avance à quoi s'attendre, l'existence ne serait que platitude. C'est ce que nous réserve le sort qui nous incite à plus de vigilance.

— On a beau être prudent, on n'est jamais à l'abri d'une déconvenue.

Le professeur montra l'arbre colossal dans la cour.

— N'est-ce pas un magnifique platane ? Il a reçu combien de foudres depuis qu'il est là ? Des centaines ? Des milliers ? Pourtant, il est toujours debout.

— Je ne suis pas un arbre.

— Vous êtes mieux qu'un arbre, vous êtes un être humain dont la vocation naturelle est de croire dans son étoile lorsque le ciel se dilue dans la nuit. Ne sont-ce pas les épreuves qui forgent les convictions ?

Adem crispa les mâchoires pour refouler la colère en train de le gagner.

— Sauf votre respect, monsieur le directeur, j'ai dépassé l'âge de sucer mon pouce. Ces théories, je les ai testées il y a longtemps et elles ne m'ont pas avancé à grand-chose. Je crois savoir que nous sommes entre adultes.

— Ce n'est pas de la condescendance, et l'intérêt que je vous porte n'est pas que thérapeutique. J'ai conscience que je m'adresse à une personne instruite, et *adulte*. Et c'est précisément à cet âge que les choses se compliquent et que s'enclenchent les traversées du désert.

— Il s'agit d'un passage à vide, pas d'une traversée du désert.

— Il est des passages à vide plus arides que le Ténéré.

— Pourquoi persistez-vous à me parler comme si j'étais incapable de comprendre ce qu'il m'arrive ?

— Parce qu'il y a, effectivement, des choses qui vous échappent. Mon métier consiste à vous les rendre accessibles. Ne soyez pas sur vos gardes, monsieur Naït-Gacem. Votre susceptibilité n'est que la contraction de vos frustrations. Comme une huître, au moindre toucher, elle se referme sur ce qui mine votre âme. Vous devez vous ouvrir afin d'évacuer ce qui vicie votre intérieur.

— La prière ne rend pas saint. Je sais ce qui ne tourne pas rond chez moi et je m'en accommode.

— Vous n'en avez pas les codes.

Le visage d'Adem, tendu depuis qu'il avait franchi la porte du bureau, blêmit davantage tandis que ses pommettes se mirent à tressauter de nervosité. Il glissa ses poings sous la table pour que le professeur ne voie pas leurs tremblements, toussota, respira profondément avant de protester :

— Excusez ma franchise, professeur. J'ai un problème, et il est de taille : je ne supporte pas que l'on me fasse la leçon, surtout lorsque celui qui la donne est hors sujet. Je ne suis ni un détraqué ni un spécimen de je ne sais quoi. Ma présence dans votre centre relève d'un déplorable malentendu…

— On se calme, d'accord ? l'interrompit le professeur avec autorité.

Adem se ressaisit. Il était en train de laisser la susceptibilité lui faire perdre de vue les enjeux de l'instant. Le directeur était seul maître à bord. Il était habilité à lui rendre la liberté et personne ne serait en mesure de s'opposer à lui s'il décidait de le consigner au pavillon A.

— Parlez-moi de ce choc familial, dit le professeur, conciliant.

— Il est derrière moi, désormais.

— Sauf qu'il vous suffit de vous retourner pour l'affronter.

— Je préfère ne pas en parler.

— Il le faut pourtant. Sinon, comment le surmonter ?

Adem considéra ses poings blafards. Il s'entendit débiter d'un ton monocorde, comme s'il se parlait à lui-même :

— Je crois que rien n'arrive par hasard, professeur. Nous attribuons à la fatalité ce que nous n'avons pas le courage d'assumer. Or, il y a explication à tout quand on cherche vraiment. Ma détresse, je l'ai méritée. La malédiction qui s'est abattue sur moi n'est, en réalité, que…

— Que… ?

Adem hocha la tête. Sa gorge se contracta lorsqu'il laissa échapper dans un souffle syncopé :

— J'ai mal agi pour le bien d'une personne que j'aimais beaucoup et que je plaignais tout autant. Je ne pouvais pas savoir, à l'époque. Aujourd'hui, je paye pour cette grave erreur d'appréciation. Le choc familial qui m'a jeté à terre n'en est que la sanction.

— Pouvez-vous développer ?

— Non, monsieur. J'en ai assez dit comme ça.

— Comment voulez-vous que je vous aide, si vous refusez de coopérer ?

— Je vous en conjure, monsieur, n'insistez pas.

Le professeur contracta les épaules. Il fit pirouetter le peigne entre ses doigts. De nouveau, il se perdit dans ses pensées avant d'en émerger subitement.

— Bon, d'accord. On n'est pas au confessionnal, quoique…

— Merci, monsieur.

— Puis-je vous poser une question indiscrète ?

— Bien sûr.

— Êtes-vous croyant ?

— Je ne suis qu'un ivrogne.

— Cela n'a rien à voir.

Adem se détourna pour fuir le regard du professeur.

— Mon oncle disait : « De la Parole est née la Foi, et la Foi rend sourd celui qui ne sait pas écouter la raison. Ce qui relève de la conviction la plus inébranlable n'est pas toujours toute la Vérité. »

Le professeur acquiesça.

— Je vois.

Il rangea son peigne et posa ses mains à plat sur le bureau.

— Vous êtes chez nous depuis un bon bout de temps. Le psychiatre, qui vous a examiné, n'a rien relevé d'anormal dans votre comportement. Ce qui me chagrine, c'est votre dérive. L'Algérie s'éveille aux lendemains qui chantent, et vous avez choisi de déchanter. D'après le rapport de la gendarmerie, on vous a trouvé en plein coma éthylique, étendu à un mètre de la voie ferrée. Vous auriez pu vous faire déchiqueter par un train.

— Je ferai plus attention, à l'avenir.

— Quels sont vos projets, une fois rendu à la société ?

— Je n'en ai aucun, à court terme. J'ai besoin de prendre du recul. Je compte m'offrir une année sabbatique. J'ai envie de découvrir cette Algérie qui vient de naître au forceps, changer d'air et me reconstruire à tête reposée.

— Pourquoi ne pas rentrer chez vous, tout simplement ?

— Plutôt l'enfer !

Adem se mordit la langue à la trancher, mais trop tard ; son cri lui avait échappé.

Le professeur parut peiné par les propos de l'instituteur. Il dit :

— L'enfer, monsieur Naït-Gacem, n'est pas le crématorium de nos péchés, mais le renoncement à nos rêves. Traquez ce qui vous émerveille et toutes les fournaises s'estomperont comme des mirages pour vous restituer votre oasis. Si vous voulez un conseil, réintégrez sans tarder votre poste d'enseignant. Les retrouvailles avec vos élèves et vos collègues seraient mieux appropriées à votre équilibre que l'errance. Vous n'êtes pas tout à fait sorti d'affaire. Une rechute n'est jamais loin lorsqu'on s'isole délibérément.

Il poussa le livre en direction d'Adem.

— En tous les cas, je n'ai aucune raison de vous garder dans mon établissement.

Il sortit d'un tiroir une enveloppe contenant des billets de banque et des pièces de monnaie, la vida sur la table.

— Votre argent. Vérifiez si le compte est bon.

— J'ignore combien il m'en restait avant d'être admis dans votre centre.

Le professeur se leva.

— Vous savez quoi, monsieur Naït-Gacem ? Les hommes vivraient beaucoup moins malheureux et plus longtemps s'ils ne se compliquaient pas l'existence. (Il lui tendit la main.) Vos effets personnels vous attendent chez le major. Prenez soin de vous, d'accord ?

— Je peux quitter le centre tout de suite ?

— Vous n'y êtes déjà plus, mon ami.

Adem récupéra son sac chez le major, se savonna le corps sous une douche brûlante, rasa la barbe qui lui dévorait le visage et retourna dans la chambrée pour se rhabiller. Il ne restait plus grand monde à l'infirmerie. Bogarne et Brik avaient été renvoyés au pavillon A. Driss évacué à l'hôpital d'Alger, un nouveau occupait sa place.

Adem enfila ses vêtements qu'on avait lavés et repassés à la lingerie. Dans une boîte cartonnée, il trouva des souliers étincelants et se demanda s'ils étaient les siens.

— C'est moi qui les ai cirés, lui confia Laïd, accroupi devant la porte.

— Il ne fallait pas.

— J'ai obéi au major, mais je l'ai fait de bon cœur.

Laïd se leva en se tortillant les doigts. Il était malheureux.

— Tu t'en vas pour de vrai ?

— Je me suis pincé trois fois dans le bureau du directeur.

— Tu as guéri très vite, dis donc. Comment tu as fait ?

Adem ne répondit pas. Il s'assit sur le lit pour lacer ses chaussures. Une flopée de lumière entrait par la fenêtre ouverte, peuplée de moucherons vrombissants.

Laïd s'appuya contre le sommier d'à côté, fixa longuement ses orteils qui débordaient des sandales en caoutchouc.

— Tu dois être très content. Ce soir, ou bien au plus tard demain, tu retrouveras ta famille. Ça va être la fête.

— Je ne suis pas pressé de retrouver qui que ce soit, crois-moi.

— Tu as quand même de la chance.

— Qu'est-ce que la chance ?

Adem lissa le devant de sa chemise, ajusta son pantalon, gêné par le chagrin de son camarade de chambrée.

Il tendit la main à Laïd ; ce dernier ne la saisit pas.

— On ne doit pas se serrer la main, si on veut se revoir un jour… Tu es un type bien, Adem. J'espère que tu t'en sortiras partout où tu iras.

Sur ce, les yeux bouffis de larmes, Laïd quitta précipitamment la chambrée.

Le major attendait Adem sur le perron de l'infirmerie pour le raccompagner à la sortie du centre.

— Vous entendez les oiseaux ? On dirait qu'ils célèbrent quelque chose.

— C'est un beau jour pour être *rendu à la société*, décréta Adem avec une pointe d'ironie.

— Depuis le début, je savais que vous n'étiez pas un déficient mental. J'ai l'œil, moi. Vingt ans dans le métier, ça développe le flair. Les gendarmes ne se cassent pas la tête. Dès qu'ils croisent un gars débraillé et ivre, ils lui collent l'étiquette de la démence et nous le livrent contre un formulaire qu'on est forcés de remplir et de signer. Tu te rends compte, avec tout le boulot qu'on se tape ici ?

— Pour quelle raison a-t-on interné Laïd ?

Le major sourcilla. Il ne voyait pas le rapport avec ses propos. Il haussa les épaules et dit vaguement :

— Certaines histoires ne sont pas bonnes à relater.

— La sienne lui manque.

— Mieux vaut qu'il ne la connaisse pas.

— C'est si horrible que ça ?

— Le pays a traversé une période épouvantable. Les gens en ont encore les nerfs à vif. Certains court-circuitent au quart de tour. Quand ça arrive, dans la majorité des cas, le disjoncteur est foutu. Laïd a grillé un plomb. Le black-out qu'il a provoqué a fait des ravages terribles dans sa vie. Il est préférable, pour lui, de rester dans le noir, je vous assure. Il est chez nous depuis trois ou quatre ans. Il fallait le voir à son admission. Il ne sortait presque pas de l'isoloir. Puis ça a été la camisole et le tuyau d'arrosage pour tempérer ses crises. Maintenant, il s'est normalisé un peu. Le professeur pense que Laïd refuse de recouvrer la mémoire pour ne pas replonger. Je n'ai pas le droit d'en dire plus. Secret médical.

Le major fit signe à un gardien d'ouvrir la grille.

— Je vous laisse ici, monsieur l'instituteur. La liberté est juste devant vous.

Ils échangèrent une forte poignée de main.

— Pardonnez-moi, si j'ai été rude avec vous. Le métier l'exige. Il faut faire montre d'autorité pour gérer des malades imprévisibles. Sans rancune ?

— Mon cœur en est saturé.

Adem se dirigea vers le poste de contrôle. Le gardien se mit au garde-à-vous et porta la main à sa tempe dans un salut militaire réglementaire.

— Repos, caporal, lui dit Adem, amusé et triste à la fois.

Lorsqu'il mit un pas à l'extérieur du centre, Adem eut l'impression que l'air sur son visage avait soudain une fraîcheur singulière. Même le chant des oiseaux semblait avoir changé de mesure. Adem respira avec avidité les odeurs alentour. Devant lui, un horizon vierge s'apprêtait à l'accueillir. Le rugissement des véhicules, qui se pourchassaient sur la chaussée, l'éveillait à l'appel des grands espaces.

5.

Adem marcha la journée entière avant d'atteindre un hameau coincé entre deux collines pelées. Il n'y trouva ni gargote ni hammam. La nuit n'était pas tout à fait tombée que les ruelles étaient désertes. Hormis une mule teigneuse vautrée dans ses crottes et deux chiens squelettiques lovés sous un chariot, on se serait cru dans un lieu-dit fantôme.

Adem pensa poursuivre son chemin, mais la faim et la marche l'avaient épuisé. Il s'assit d'une fesse sur le coin d'un abreuvoir et attendit de voir quelqu'un se manifester ; les portes des taudis demeuraient cruellement closes.

Au moment où il commençait à désespérer, il entendit le rideau d'une boutique se rabattre à l'autre bout du pertuis. Adem se dépêcha de rattraper l'épicier pour lui demander s'il n'y avait pas, dans les parages, une auberge où souper et dormir.

— Personne ne passe par ici, lui expliqua l'épicier. Je n'ai pas grand-chose à vous offrir, mais si vous acceptez de partager mon pain et de dormir sous mon toit, vous serez le bienvenu.

— Je ne peux pas accepter, dit Adem, surpris par la spontanéité de l'invitation.

— Pourquoi donc ?

— Vous ne me connaissez pas.

— Quelles que soient sa croyance ou la couleur de sa peau, toute personne qui frappe à votre porte, c'est le Seigneur qui vous l'envoie, le rassura le boutiquier.

Adem dîna en tête à tête avec son bienfaiteur.

Après avoir mangé, il fut conduit dans une pièce où on lui avait préparé un couchage sommaire constitué d'une large natte matelassée et, en guise de table de chevet, d'un caisson surmonté d'une lampe à acétylène sur laquelle la crasse des ans s'était épaissie. Autour du couchage s'entremêlaient, dans un désordre de bazar, samovars, bassines, rouleaux de tissu, paniers en plastique et un tas d'objets hétéroclites, ainsi qu'un outillage inutile pour un hameau sans eau courante ni électricité.

Dans la pièce d'à côté, une voix de femme tentait de calmer un bébé en pleurs. Pendant une fraction de seconde, l'image de Dalal surgit dans les pensées d'Adem qui éteignit aussitôt la lampe ; il mit longtemps à s'endormir.

— C'est l'heure, lui chuchota l'épicier en le secouant doucement du bout des doigts.

— Quoi ? sursauta Adem.

— Le muezzin vient d'appeler à la prière. Il faut se rendre à la mosquée.

Adem jeta un coup d'œil à travers la fenêtre.

— Il fait encore nuit, bon sang. J'ai marché toute la journée et je suis crevé. Laisse-moi dormir. Je ne suis pas pratiquant.

Le boutiquier se confondit en excuses et se retira sur la pointe des pieds.

Adem eut, pour petit déjeuner, du thé à la menthe, du pain chaud et des olives. Avant de prendre congé, il se vit offrir, par son hôte, un petit balluchon rempli de galettes berbères, d'œufs durs et de tranches de viande séchée.

Il porta la main à sa poche.

— Surtout pas ça, lui déconseilla le boutiquier. Vous auriez fait la même chose pour moi.

Adem n'en était pas sûr. Il ne recevait jamais personne chez lui.

— Je ne sais pas quoi dire.

— Ne dites rien. Si vous revenez par ici, sachez que vous serez le bienvenu. Partez en paix, maintenant. Que Dieu vous protège.

Quelque chose, dans la générosité de l'épicier, mit Adem mal à l'aise. Un moment, il songea à poser le balluchon par terre et à s'en aller. Depuis la trahison de Dalal, Adem ne tenait ni à être redevable à quelqu'un ni à dire merci, comme si ce vocable menaçait le peu d'intégrité qu'il lui restait.

Le boutiquier le raccompagna jusqu'à la sortie du hameau.

Au bout de quelques kilomètres de sentiers de chèvres, de pentes abruptes et de côtes rocailleuses, Adem se rendit à l'évidence. Il n'irait pas loin avec des souliers conçus pour la ville. Il fit une pause sous un arbre et ôta ses chaussures. Ses orteils saignaient.

Une charrette s'arrêta à sa hauteur.

Le conducteur, un personnage trapu et solide avec une tête massive qu'un turban avait du mal à contenir, cracha sa chique sur le côté et s'essuya la bouche sur un bout de son gilet.

— Je te dépose ?

Adem hésita avant de grimper à côté du charretier. Il feignit de ne pas remarquer la main écorchée que ce dernier lui tendit.

— Tu vas où, mon frère ?

— Tous les chemins mènent quelque part.

— Tu as raison, admit le charretier. La terre du Seigneur est vaste.

L'homme desserra la manette des freins et donna un coup de fouet sur la croupe de son canasson. Le tombereau se mit à cahoter sur les ornières.

— Si tu veux un conseil, dégotte-toi des chaussures en toile. Celles que tu portes ne sont pas faites pour les randonnées champêtres.

Adem opina du chef.

— Ton accent n'est pas de la région. Tu viens d'où ?

Adem ne répondit pas.

De part et d'autre de la piste, des champs promettaient de belles récoltes. Des vaches paissaient çà et là. Un groupe de femmes s'adonnait à un rituel autour d'un marabout ; les cris de leurs enfants s'éparpillaient à travers la vallée comme une nuée de moineaux invisibles.

— Laisse-moi deviner, reprit le charretier. Tu viens de Boufarik… non, de Cherchell… plutôt de Tizi Ouzou. Est-ce que je me trompe ?

— …

— Tu as avalé ta langue ou bien tu fais vœu de silence ?

Adem leva les yeux au ciel en signe d'exaspération. Il soupira :

— Est-ce que je t'ai demandé d'où tu viens ? Tu m'as ramassé sur la route. C'est très gentil, mais ça s'arrête là.

Le charretier repoussa son turban vers le haut de son crâne, vexé par l'attitude de son passager.

— La guerre a rendu fous pas mal de gens, maugréa-t-il.

— Je n'ai pas fait la guerre.

— Alors, pourquoi cette agressivité ? Parce que monsieur est trop distingué pour faire la conversation à un plouc ?

— Je n'aime pas parler, c'est tout. Ni à un plouc ni à la reine d'Angleterre.

— N'empêche, ça ne coûte rien d'être aimable... C'est vrai, on est des gens pauvres, par ici, on n'a pas d'instruction, on ne paye pas de mine, mais on est polis, on se serre les coudes et on a notre dignité.

— Je t'ai seulement dit que je ne veux pas parler. Dans quelle langue faut-il te le répéter ?

— Très bien. Tu n'as qu'à te gargariser avec tes paroles savantes. Pourvu qu'elles ne t'étouffent pas... (Il cracha par-dessus son épaule.) C'est pas vrai ! Y a pas cinq minutes, j'étais de bonne humeur. Je chantonnais pour cadencer le trot de mon cheval. Et voilà que je me pousse sur mon siège pour faire de la place à un rabat-joie. Je me demande pourquoi je me suis arrêté. J'étais bien dans ma tête. J'étais tellement bien que j'étais prêt à rendre service à la terre entière.

— Il ne faut pas mal le prendre.

— Tu m'as contaminé avec ta morgue. Je vais passer le reste de la journée à râler.

— Je n'ai pas voulu t'offenser.

— Je m'en tape. Tu veux qu'on te fiche la paix, je te fiche la paix. « Ça s'arrête là ».

Le charretier abandonna Adem à une bretelle, soulagé de se défaire d'un fagot d'opacité qui n'avait pas cessé de fixer ses pieds, la bouche scellée.

Adem se rafraîchit dans une source, sortit de son sac une chemise qu'il déchira en lanières pour en panser ses pieds, remit ses souliers et continua sa route en claudiquant.

Vers midi, il déboucha sur une bourgade en effervescence. C'était jour de souk. Les étals proposaient des légumes et des fruits de saison, du poisson d'eau douce, des quartiers de viande assiégés de mouches, de la volaille vivante ligotée et des lapins horriblement entassés dans des cages rudimentaires. À côté des tas de fumier s'amoncelaient des sacs de charbon, de la vaisselle en plastique, de la friperie. Les marchands glapissaient dans la poussière, le front ruisselant de sueur, les yeux en alerte à cause des chapardeurs qui, embusqués derrière leur air innocent, guettaient la moindre distraction pour se servir.

Deux montreurs d'ânes se chamaillaient, les lèvres dégoulinantes de bave laiteuse. Un peu en retrait, derrière un semblant de comptoir hérissé de flacons, un charlatan vantait les vertus miraculeuses de ses élixirs :

— Si vous avez la goutte, le rhumatisme, des problèmes d'érection ou d'insomnie, si vous avez des constipations, des hémorroïdes, moi, j'ai la solution. Approchez, mes frères, je dispose de remèdes que vous ne trouverez ni dans les hôpitaux ni chez les marabouts. Une cuillerée le matin, une autre le soir, et en moins d'une semaine, le mal qui est en vous relèvera d'un lointain souvenir.

— À quoi sert cette mouche à viande ? lui demanda un vieillard édenté.

— Ça ressemble à une mouche, mais c'en est pas une, dit le charlatan. C'est une phalène des Indes. Vous la séchez, vous la pulvérisez et vous la mélangez avec une cuillerée de curcuma, une pincée de thym, du girofle, du miel des bois et, en moins d'une heure, votre pénis sera tellement dur qu'il vous suffira d'un point d'appui pour soulever n'importe quel rocher avec.

Sous un caroubier solitaire, un troubadour, flanqué d'un joueur de flûte, chantait au milieu d'un cercle d'enfants :

Aime-moi
Une fois par hasard
Laisse-moi croire
De temps en temps
Que je suis vivant.

Adem acheta des chaussures en toile, une gourde, une couverture de cheval, plusieurs paquets d'allumettes, des bougies, un coutelas presque neuf, et alla déjeuner dans une gargote, à proximité d'un gramophone nasillard qui diffusait des chansons de Salim Halali. Il commanda des brochettes d'agneau, une salade et une carafe d'eau.

— Alors, Lawéto, tu t'es offert un baudet ? lança un zazou rural à un jeune homme à califourchon sur un âne.

— C'est pas un baudet, c'est une bourrique.

— Ça te changera de la chèvre.

— Je suis marié, voyons.

— L'un n'empêche pas l'autre.

Les clients installés sur la terrasse éclatèrent de rire. Adem s'intéressa au zazou qui avait l'air fier de son impertinence. C'était un trentenaire trapu, tassé comme une borne, la chemise ouverte sur une bedaine tombante et les pouces sous le ceinturon à la manière des maquereaux. Adem le détesta d'emblée.

À la tombée de la nuit, quelque part dans le maquis où il trouva une grotte pour dormir, Adem pensa au troubadour entendu au souk du village, à sa voix fiévreuse que la flûte ne parvenait pas à tempérer, à ces paroles « inadmissibles et hautement stupides » qui faisaient croire aux enfants qu'il suffit d'être aimé pour se croire vivant.

— Foutaises ! hurla-t-il aux collines dénudées que l'obscurité s'apprêtait à engloutir. Foutaises, foutaises, foutaises !

6.

Adem erra deux semaines durant à travers les maquis. En contournant les hameaux. La proximité des gens l'incommodait. Chaque fois qu'il en croisait sur sa route, il emportait avec lui une part de leur malaise. Il y avait trop de naufragés de l'Histoire avec, crucifié sur le front, l'espoir qui leur avait permis de survivre à deux mille ans de joug colonial.

« Les hommes sont plus injustes que le mauvais sort, lui avait confié naguère son oncle maternel, un cul-de-jatte qui avait oublié ses jambes sur la voie ferrée un soir de grande beuverie. Ils te condamnent sans procès et te livrent aux enfers avant que tu sois mort. Mais si tu arrives à trouver du sens à ton malheur, tu mettras tes démons à genoux. »

Adem aimait écouter cet oncle qui ne savait ni lire ni écrire mais qui excellait à dire les choses avec des paroles à lui, un prophète maudit, sans dieu ni apôtres, qui crevait de faim et de désamour dans son coin de pestiféré. La vie était dure, à cette époque. La misère et les épidémies décimaient des familles entières. Adem éprouvait de la pitié pour cet infirme « encombrant et inutile » que les siens traitaient de parasite et de profiteur éhonté vivant aux crochets des âmes charitables pendant qu'on envoyait des gamins à peine plus hauts qu'une asperge se tuer à la tâche dans les carrières pour quelques misérables sous.

Maintenant qu'il était livré à lui-même, Adem assimilait pleinement les mises en garde de son oncle. Les gens ne pardonnent pas aux parias, et la trahison de Dalal l'avait aplati au ras des paillassons. En vérité, ce n'étaient pas les gens qu'il fuyait, mais leur regard. Il lui semblait que n'importe quel inconnu lisait en lui comme dans un journal à scandale.

Adem ne recouvrait un soupçon d'apaisement que lorsqu'il se tenait le plus loin possible du tapage des mioches et de la mine déconfite des vieillards. Pourtant, cet apaisement n'était qu'une illusion ; la réalité était ailleurs, cuisante : seul, il n'allait guère mieux. Sa solitude n'était qu'une absence compactée, un brouillard cafardeux qui le pressait de tous les côtés. Où allait-il ainsi ? Que cherchait-il vraiment ? Il l'ignorait.

Le quinzième jour, tandis que le soleil déclinait, Adem s'immobilisa au sortir d'une futaie. Il venait de reconnaître la bâtisse au pied du ravin – une ferme à la charpente déglinguée, aux murs engloutis sous les herbes folles.

Adem était déjà passé par là !

Il leva les mains au ciel et s'affaissa sur une bosse de terre.

— Ce n'est pas vrai, protesta-t-il. Je tourne en rond...

Il s'endormit ainsi, les poings serrés, la bouche tordue comme si ses propres démons lui livraient bataille jusque dans son sommeil.

Lorsqu'il se réveilla, le soleil avait disparu derrière la montagne. Adem chercha un endroit où passer la nuit, opta pour une crête. Il y avait un rocher qui le protégerait du vent, et un carré de verdure pour déployer le couchage.

Adem déballait ses affaires lorsqu'il vit un enfant gravir la piste. Que pouvait bien faire un gamin au beau milieu de nulle part ? Le douar le plus proche se trouvait à une journée de marche.

L'enfant avançait tranquillement sur le sentier, une musette en bandoulière, le visage à moitié caché sous la visière d'une casquette.

— *Salam aleikoum*, dit-il en passant son chemin.

Adem ne lui rendit pas la politesse. Il se contenta de se gratter la tête. L'« enfant » avait une barbiche et un front proéminent : c'était un nain.

Le soir dispersa sa poudre de fée dans le ciel. Un croissant de lune ouvrait une parenthèse au sommet de la montagne. Les arbres se tenaient roides dans leur mutisme, pareils à des eunuques veillant sur le sommeil de leur maître. On entendait à peine la brise fourrager dans les buissons. Par intermittences, quelque part dans l'obscurité, un animal égaré implorait sa horde, sans doute effarouché par la nuit qui avançait, parée de mille dangers.

Adem ne trouva dans son sac que trois patates douces et un quignon aussi dur qu'un galet. Il entassa des bouts de branches par-dessus un tas de brindilles et alluma un feu pour préparer à manger.

— Bonsoir.

En se retournant, Adem découvrit le nain de tout à l'heure debout à deux pas, un quartier de viande enveloppé dans un torchon ensanglanté.

— Je n'ai plus d'allumettes. Est-ce que je peux faire cuire mon gigot chez toi, et on partage après ?

Adem ne pesa pas longtemps le pour et le contre. Il avait trop faim pour se permettre de refuser l'offre de l'inconnu.

— Le troc me paraît raisonnable, dit-il.

Le nain se dépêcha d'extirper de sa musette un couteau, un oignon, une tomate et un poivron qu'il découpa en morceaux. En quelques mouvements précis, avec la dextérité d'un soldat démontant son arme, il confectionna des brochettes qu'il étala sur le feu. Le grésillement de la graisse déchaîna quelques flammes et l'odeur de la chair brûlée se répandit sur la crête. Alléché par le fumet, Adem se détendit. Sa dernière escale dans un boui-boui remontait à dix jours. Il y avait laissé le restant de ses sous. Depuis, il ne se nourrissait que de fruits sauvages et de légumes maraudés dans les jardins potagers.

Le nain se mit à quatre pattes pour souffler sur la braise. Sa chemise s'écarta sur un pendentif frappé d'une croix qu'il se dépêcha d'escamoter.

— Tu habites par ici ? lui demanda Adem, méfiant.

— Ça dépend des saisons. En hiver, la neige atteint deux mètres de hauteur, et je ne suis pas assez grand…

— D'accord… Tu n'aurais pas un peu d'eau ?

— Il y a une source, plus bas, derrière le fourré. Tu veux que j'aille remplir ta gourde ?

— Je veux bien.

Le nain s'exécuta.

À son retour, il trouva Adem en train de se déchausser.

— Attention, il y a des scorpions.

Adem remit aussitôt ses chaussures qu'il laça sévèrement.

— Et des vipères aussi, ajouta le nain.

Adem avait une sainte horreur des serpents. L'été dernier, en découvrant une couleuvre sur le pas de sa porte, il avait sauté si haut que sa tête avait heurté le porche.

— Tu viens d'où, brave homme ?

— J'accepte de partager mon feu avec toi, pas ma soirée. Et puis, qui te dit que je suis un brave homme ? On se connaît ?

— C'est juste pour causer, ronchonna le nain.

— Le silence est d'or.

— S'il l'était vraiment, je serais le plus riche de la terre. Ça fait des années que je me terre sans un voisin, sans un ami avec qui bavarder…

— Je crois que la viande est prête, trancha Adem pour mettre fin à la conversation.

Le nain récupéra les brochettes, en présenta les plus fournies à l'instituteur :

— Je suis heureux de partager mon dîner avec toi.

Adem surveillait les touffes d'herbes autour de lui, à l'affût d'une reptation suspecte.

— Tu peux mordre dedans à pleines dents, le rassura le nain. C'est de la chair fraîche garantie… J'ai croisé, tout à l'heure, des braconniers en train de dépecer du gibier. Ils m'en ont donné un quartier. Ne me demande pas quel genre de gibier. La bête avait été morcelée avant que j'arrive. (Il pourlécha ses doigts ruisselants de jus.)… J'ai un matelas, des couvertures et quelques provisions dans mon refuge. C'est presque une vraie maison.

— Tant mieux pour toi.

— Je t'invite.

— Je suis bien là où je suis.

— Détrompe-toi. Tu vois ces trous ? Ce sont des traces de sangliers. On est exactement sur le chemin qu'ils prennent pour se rendre à la source. Et crois-moi, il ne s'agit pas d'un ou de deux individus, mais d'une meute qui fonce dans le tas comme une locomotive.

— Je dors depuis des semaines à la belle étoile sans problème.

— Ça dépend des endroits. Cette forêt a connu pas mal d'accrochages pendant la guerre. Il y a des charniers un peu partout. Et ça attire les charognards. Pendant la journée, c'est calme, mais la nuit, un étrange ballet se déclenche, et malheur aux imprudents.

Adem tenta de paraître décontracté, mais cette histoire de vipères et de scorpions le tarabustait. D'instinct, il ramena vers lui son sac pour s'assurer qu'aucune « sale bête » ne s'était glissée dedans.

Après avoir fini de manger, les deux hommes se contentèrent de fixer le feu. Le nain attisa les rares braises qui rougeoyaient encore. Adem réfléchissait. De temps à autre, il se tournait vers la broussaille alentour, l'ouïe en alerte. La forêt se recroquevillait sur ses mystères, à peine chahutée par le cri des bêtes sauvages qui retentissait par endroits, rendant le silence troublant.

— Il est comment, ton matelas ? s'enquit Adem sur un ton faussement désintéressé.

Le nain sourit. L'hypocrisie de son interlocuteur était manifeste, mais il feignit de ne pas la remarquer.

Le refuge était à deux encablures de la crête. Pour y accéder, il fallait dévaler un versant accidenté, emprunter un passage si étroit qu'on devait s'accrocher aux branchages pour ne pas dégringoler dans le ravin. Le sol était jonché de pierraille instable qui se dérobait sous les pieds.

Le nain marchait vite, leste et habile. On aurait dit un farfadet pressé de disparaître dans le taillis.

L'abri était une grotte que camouflait un rempart de végétation. Il donnait sur un précipice dominant la vallée. On voyait les lumières d'un village à l'horizon.

— C'était une casemate, expliqua le nain. Un groupe de maquisards l'occupait durant la guerre. Elle leur servait d'habitation et de poste d'observation. Aujourd'hui, elle est à moi. C'est mon palais d'été.

Adem était soulagé d'arriver à bon port sain et sauf.

Le nain alluma un quinquet à l'entrée de la grotte.

— Je croyais que tu n'avais plus d'allumettes.

— Aucun nain ne saurait vivre longtemps s'il ne rusait pas… Je ferais n'importe quoi pour avoir de la compagnie.

— Je suppose que tu m'as aussi menti au sujet des scorpions et des vipères.

— Un nain ne ment pas, il négocie. Tu m'aurais chassé comme un malpropre si je n'avais pas tenu entre mes mains une sacrée bonne tranche de viande.

— Ce n'est pas faux, admit Adem en jetant son sac par terre. Où as-tu appris à parler le français ?

Le nain se contenta de sourire.

L'intérieur de la grotte était assez large pour contenir une dizaine de personnes. Il y avait une paillasse étalée à même le sol, un matelas de camp roulé et ficelé dans une encoignure, un tabouret, un réchaud à alcool avec une marmite dessus, une caisse à munitions transformée en garde-manger remplie de sachets de provisions et de boîtes de conserve ; au-dessus, alignés sur une étagère taillée dans la roche, se coudoyaient une gamelle de troufion, des assiettes en fer-blanc, des godets et un pain de sucre dans son emballage bleu.

— J'ai de quoi tenir jusqu'en hiver, se félicita le nain. Farine, légumes secs, lait en poudre, biscuits. Ce n'est pas la vie de château, mais on n'en est pas loin.

— Tu te débrouilles pas mal, reconnut Adem.

— La débrouille est plus qu'un art, pour un nain, c'est une question de vie ou de mort… (Il invita l'instituteur à prendre place sur une natte.) Je nous prépare du café ?

— Je te préviens, je n'ai pas un rond.

— Qui prête au Seigneur, le Seigneur le lui rendra. Avec les intérêts.

Adem opina du chef, pour la forme.

— Tu ferais vraiment n'importe quoi pour avoir de la compagnie ?

— Ça fait du bien d'avoir quelqu'un à qui parler, tu ne penses pas ? Il m'arrive de causer seul, mais que puis-je me dire que je ne sache déjà ? On n'est rien sans les autres.

— Mieux vaut être seul que mal accompagné.

— Pas toujours. Je suis très heureux de te recevoir chez moi. Tu dis que tu n'as pas grand-chose à m'offrir. C'est faux. Tu m'apportes ce que je n'ose pas aller chercher. Un visiteur, c'est le monde qui débarque chez toi. Certains te racontent leur vie, d'autres te confient leurs soucis, et moi, le nain que personne ne calcule ailleurs, je deviens un centre d'intérêt.

— Les gens ne sont que des profiteurs.

— Un saint homme a dit : « Celui qui donne plus qu'il ne reçoit gagne au change plus qu'il ne le croit. »

— Un autre profiteur, je suppose.

Le nain versa du café dans deux godets.

— J'ai des cigarettes. T'en veux une ?

— Pourquoi pas ?

Le nain extirpa une cigarette d'un paquet, l'alluma avec le quinquet et l'offrit à son hôte.

— Tu as souvent de la visite ?

— Pas souvent, mais j'en ai vu défiler du monde chez moi.

Adem souffla la fumée en l'air et la regarda s'effilocher.

— Tu n'as pas peur d'héberger un voleur ou un assassin ?

— Tu imagines un peu ce que serait le monde si on se méfiait de tout ? Je prends le risque. Parce que c'est comme ça. Il y a des gens bien et il y a des vilains depuis la nuit des temps. Si la nature nous a conçus ainsi, c'est qu'il y a forcément une raison.

— J'aimerais bien savoir laquelle.

— Ça changerait quoi ?

Adem but son café, la mine brusquement défaite. Il se souvint de Dalal éplorée dans cette chambre obscure, perçut le crissement de la charrette qui s'éloignait dans la nuit, revit la valise en carton dans le vestibule. « *Ça changerait quoi ?* » sanglotait Dalal. Et pourtant, pensa-t-il, un rien peut tout changer ; un vulgaire malentendu, une simple inattention, et tout ce qui a été n'est plus.

— Qui ne tente rien n'a rien, poursuivit le nain. Je sais que je n'ai pas beaucoup de chances de me dégotter une femme, mais rien ne m'empêche de me faire des amis. C'est pourquoi je m'investis dans ce sens. Certains attestent qu'il est des amitiés plus fortes que l'amour.

— Leurs drames sont identiques, décréta Adem avec amertume.

— Ça fait partie du jeu.

— On ne joue pas avec les sentiments des gens.

Le nain émit un hoquet.

— Si tu voyais mon amour-propre : un vrai dépotoir. Les noms d'oiseaux, les sobriquets, les railleries me tombent dessus comme de la grêle. Et quand les gamins s'invitent au carnaval, je ne te raconte pas. À l'usure, on fait avec. Ne prend la mouche que celui qui sent mauvais. Moi, je pète l'encens. Ce qui importe, c'est ce qu'on pense de soi-même. Les gens, ils peuvent penser ce qu'ils veulent. Leurs flèches ne sont que des brindilles quand on a blindé sa carapace.

— Il y a des blessures qui ne cicatrisent pas.

— Seulement celles qu'on refuse de refermer.

Adem préféra changer de sujet :

— Que signifie la croix que tu caches sous ta chemise ?

— C'est un don.

— Tu es chrétien ?

— Oui et non. Je crois en Dieu, mais je ne compte pas trop sur Lui.

Le nain se tut pour voir si ses propos choquaient l'instituteur. Adem n'avait pas l'air outré.

— Je ne vais quand même pas Le remercier pour la disgrâce physique qu'Il m'a infligée.

— …

— Pourtant, je suis né dans un berceau brodé d'or. Mon père régnait sur une grande tribu, dans la Gaâda. Il avait des courtisans à la pelle. Il attendait un héritier digne de son rang. Aussi, lorsqu'il a constaté que Dieu lui fourguait un monstre, il m'a empaqueté et retourné sur-le-champ à l'envoyeur. Un matin, une nonne m'a trouvé devant la porte de son couvent. La croix, c'était à elle. Elle me l'a léguée tandis qu'elle rendait l'âme… Et toi, quelle est ton histoire ?

— Je l'ai oubliée.

Le nain se gratta le menton.

— Il y a un truc qui me chiffonne, dit-il. Les gens que j'ai accueillis chez moi venaient de différents horizons, chacun avec ses fantômes et son ballot d'échecs. Ils mangeaient, dormaient, se reposaient, puis au revoir et merci. Un petit salut de la main, et on tourne la page. Eh bien, figure-toi, aucun de mes hôtes n'a jugé utile de me demander si j'avais un nom, ou un matricule, ou un collier, ou quelque chose qui m'identifierait. C'est comme si j'étais là juste pour les servir.

— Et tu t'appelles comment ?

Le nain bomba le poitrail et déclama :

— Michel… Mais j'aime bien qu'on m'appelle Mika.

Adem étira une lèvre admirative.

— C'est original.

— On ne m'avait pas mis de bracelet avec ma filiation dessus lorsqu'on m'a largué devant la porte du couvent. Il fallait bien qu'on me baptise, non ?… Et toi, quel est ton nom ?

— Il n'est pas aussi original que le tien.

— Qu'importe. Vas-y, dis-moi comment tu t'appelles. Tu n'as rien à craindre de moi. Je ne suis pas un mouchard.

— Je ne vois pas le rapport.

— Il y a des bruits qui courent.

— C'est leur vocation.

— Oui, mais ils laissent entendre un tas de choses désobligeantes.

— Par exemple ?

— Que la guerre n'est pas tout à fait finie, que les représailles continuent, qu'il y aurait pas mal de types qui n'ont pas la conscience tranquille et qui se cachent dans les bois, et des harkis qui cherchent à s'évanouir dans la nature…

— Je n'en suis pas un, le coupa sèchement Adem.

Mika leva une main conciliante.

— Ce n'est pas que je me méfie de toi, tint-il à s'excuser. C'est juste pour faire plus ample connaissance. En matière de discrétion, je suis une tombe. D'ailleurs, je ne pense pas que tu sois un mauvais gars.

— Pense ce que tu veux. Je m'en fiche. Éteins, s'il te plaît.

Mika déroula le matelas de camp près de la paillasse.

— Ce n'est pas la peine, lui dit Adem, dépité. La natte me convient. Éteins-moi cette saloperie de lampe. J'ai sommeil.

Mika éteignit le quinquet et sortit de la grotte finir sa cigarette. Ses yeux brillaient dans la clarté de la lune comme deux joyaux. Il était heureux.

7.

— Bonjour... Bien dormi ?

Adem acquiesça en s'étirant sur le pas de la grotte.

Mika pompait le réchaud à alcool, accroupi au pied d'un arbre.

— Cet appareil me tape sur le système. Des fois, il marche au quart de tour, des fois, il fait des siennes. Je voulais te préparer des beignets avant ton réveil.

— Apparemment, c'est raté.

Adem laissa son regard survoler la plaine qui s'étalait en bas, semblable à un paradis.

— Quelle vue magnifique !

— N'est-ce pas ? s'exclama Mika qui parvint enfin à allumer le réchaud. Je passe des heures à contempler la vallée. J'ai l'impression d'être un aigle veillant sur son royaume. Surtout quand il fait beau comme aujourd'hui. Tout est calme, limpide, on dirait un monde intérieur.

Adem s'avança au bord du ravin ; les yeux mi-clos, le visage offert au soleil, il aspira à pleins poumons les senteurs de la forêt. Il regarda le précipice, suivit la chute vertigineuse de la falaise qui se brisait dans le lit d'une rivière, écarta les bras et se souleva sur la pointe des pieds comme s'il s'apprêtait à se jeter dans le vide.

— C'est le parfait plongeoir pour en finir avec les vacheries de la vie.

— Ce n'est pas bien de commencer la journée avec des idées pareilles, l'apostropha le nain.

— Tu as peur de mourir ? Quand on y réfléchit bien, ça n'a rien d'effrayant. La mort n'est que la fin d'une histoire.

— N'empêche, il ne faut pas parler comme ça de bon matin. Quand on se lève, on dit bonjour et on frappe du pied le sol pour se donner du cran.

Adem revint s'asseoir à côté de son hôte.

— Il y a une retenue d'eau, pas loin d'ici, dit Mika. Si tu as du linge à laver ou si tu veux te baigner, je peux t'y conduire.

— Il faut que je m'en aille.

En vérité, Adem était trop fatigué pour reprendre la route, mais son orgueil lui interdisait de l'avouer. Il savait surtout que le nain essayerait de le retenir, et lui, d'abord réticent, finirait par se laisser convaincre. L'endroit lui plaisait. Il y avait à boire et à manger, et un matelas pour dormir. Les nuits à la belle étoile étaient certes romantiques, cependant les morsures de la terre ferme empêcheraient un poète de rêver.

Après avoir englouti les beignets et bu son café, Adem consulta la position du soleil.

— Je pense que tu as raison. J'ai largement le temps, avant de m'en aller, de faire un peu de lessive et, si l'eau est bonne, de prendre un bain. Je ne me suis pas lavé depuis des semaines.

— Tu vas adorer, lui promit Mika.

L'endroit était magique. On entendait pépier les oiseaux dans les arbres. Une cascade déversait ses filandres cristallines dans un bassin naturel. Son clapotis embaumait le silence d'une douce quiétude.

Mika se mit aussitôt à poil et sauta dans l'eau.

Adem garda son slip ; il entra dans le bassin à petits pas en tâchant de ne pas glisser sur les galets.

— C'est glacé, constata-t-il.

— À réveiller une momie, s'enthousiasma Mika en soulevant des gerbes d'eau autour de lui.

Les deux hommes se baignèrent, puis ils lavèrent leur linge et s'étendirent au soleil, épuisés et ravis.

— C'est ma piscine privée, décréta Mika, les doigts croisés sous la nuque.

Adem ne se souvenait pas de s'être senti aussi rasséréné.

Mika se mit à pédaler dans le vide.

— Putain, quel pied !

— Ce sont les bonnes sœurs qui t'ont appris à être grossier ?

— Disons que j'ai modernisé mon langage dans les bas-fonds. Dans ces endroits-là, le parler est plus vrai, juste, sans fioritures et mieux adapté à notre époque. Il dit le monde tel qu'il est : ordurier, fourbe, brutal et obscène.

Il y eut un silence.

Adem ferma les yeux pour savourer l'instant.

— Tu aimerais vivre vieux, toi ?

Adem ébaucha une moue évasive.

— Moi pas, dit Mika. Je me vois mal râler pour des broutilles, geindre au moindre mouvement, ne plus me rappeler ce que j'ai mangé à midi et moisir sur un lit d'orties, langé, aigri et malheureux. Moi, ajouta-t-il sur un ton théâtral, je veux mourir en marchant, solide sur mes mollets, pour poursuivre mon chemin comme un fantôme qui voit tout et que personne ne voit.

— Tu n'aimes pas les oiseaux ?

— Si.

— Alors, pourquoi tu ne les écoutes pas ?

Mika leva les mains.

— Reçu cinq sur cinq… Si mon lyrisme te barbe, je m'écrase. Pour une fois que je rencontre un gars instruit, j'ai pensé…

— Ne pense pas, l'interrompit Adem, écoute les oiseaux.

Mika tira une fermeture Éclair imaginaire sur sa bouche.

Il parvint à observer le silence pendant deux minutes, puis, à bout de souffle comme s'il était en apnée, il lâcha :

— Tu as été marié ?

— …

Mika replia la jambe, le genou en l'air, clapa des lèvres. Il confia :

— Je donnerais tout pour avoir une femme, moi.

Adem émit un hoquet dédaigneux.

— Tu donnerais *tout* pour avoir de la compagnie, *tout* pour avoir une femme. À t'entendre, on te croirait plus riche que Crésus alors que tu ne possèdes que ton âme, et encore, elle ne t'appartient pas.

— Ce n'est pas interdit de rêver. J'aime bien rêver, moi. Ça fait du bien. Tu es là, nu comme un ver, tu regardes le ciel et tu te vois planer. Tu imagines des choses qui te comblent de plaisir et ça te fait croire que tu es heureux pour de vrai. N'est-ce pas une façon comme une autre de se réconcilier avec soi-même ?…

Mika se tourna un peu plus sur le flanc pour bien se mettre face à Adem. Il raconta :

— Pour fêter mes vingt ans, j'ai pris mon courage à deux mains et je suis allé au bobinard. Il y avait des militaires et des types patibulaires qui attendaient leur tour dans la salle. Ils avaient presque oublié pourquoi ils étaient là quand ils m'ont vu débarquer. Ils se sont mis à se marrer et à me décocher des piques, genre « V'là le bélier, gare au pont-levis » et des trucs de godiches qui font les malins pour se faire remarquer. Eh bien, ils avaient beau ricaner et faire les intéressants, je ne me suis pas laissé démonter. Pour amuser la galerie, la tenancière m'a choisi la plus grosse des filles, avec un postérieur aussi large qu'un comptoir de tripot. Il fallait la voir, la Berthe, avec son relief accidenté à donner le vertige. Lorsqu'elle éternuait, son corps tremblait comme une énorme frayeur. Au début, elle a fait sa snob et a refusé de me prendre. « Il me claquerait entre les cuisses », qu'elle a averti. Mais la tenancière a insisté, et les clients se sont mis à l'encourager en alignant les « Allez, Berthe, c'est pour la bonne cause. Et puis, on est là pour te tirer d'affaire au cas où ça tourne mal ». Ils se tenaient le ventre à force de rigoler. « Fais gaffe, Demi-Coït, m'a lancé un goumier moche comme ses godasses, ne pousse pas le gland profond. C'est pas un con qu'elle a, la Berthe, mais une plante carnivore. » Tout le monde me sortait sa petite contribution de comique à deux sous. Même un vieux hibou qui ne comprenait rien à rien et qui se torboyautait pour faire croire qu'il affichait la même fréquence que la clique. La Berthe n'était pas ravie de s'occuper de moi, alors là pas du tout. Je lui foutais la honte. Elle m'a roulé devant elle comme une pelote de laine jusque dans sa piaule sordide. Elle ne s'est même pas donné la peine de se déshabiller. Elle a juste retroussé son chemisier par-dessus le nombril et m'a sommé de faire vite. « Arrête de me chatouiller », qu'elle pestait sans arrêt pendant que je crapahutais sur sa bedaine gélatineuse. J'avoue qu'elle m'a vachement perturbé, la Berthe. Elle soufflait dans son chewing-gum et le faisait éclater contre mon front. Comment veux-tu que je prenne mon pied de cette façon ? Et tu sais quoi ? Elle a doublé le tarif avant de me fiche dehors. Ouais, monsieur, elle a exigé un supplément parce que, d'après elle, elle m'a fait une faveur.

Adem se tordait de rire, le poing dans la bouche.

— Toute la clientèle m'attendait dans la salle, la gueule fendue jusqu'aux oreilles. « Alors, tu l'as défoncée ? Sûr que tu l'as laissée pour morte. Elle pourra plus marcher comme avant. » Ils se sont bien payé ma tête, les fumiers. Eh bien, le lendemain, je suis retourné au bobinard pour leur montrer que je ne suis pas le genre à lâcher le morceau.

Mika se remit sur le dos, un sourire bienveillant sur la figure.

— On n'est pas bien, ici ? On se bidonne et on prend du bon temps. Couchés sur une pierre ou sur de l'herbe, on est deux parfaits dieux sur leur nuage. Pourquoi veux-tu renoncer à ce que tu tiens dans la main pour aller chercher ce que tu ne rattraperas probablement jamais ?

— Je veux voir à quoi ressemble la liberté.

— Tu y es, mon vieux. On bouffe et on dort à notre guise. Personne ne nous marche sur les pieds. Si ce n'est pas ça la liberté, qu'est-ce que c'est ?

— Il faut que je m'en aille. C'est important.

— Où veux-tu aller avec cette fournaise ? Tu casserais un œuf sur un caillou qu'il frirait dessus aussitôt. Reste avec moi jusqu'à la fin de l'été et après, on partira ensemble. Je connais des endroits peinards et j'ai pas mal d'abris un peu partout. Tu auras l'embarras du choix. Et puis, il faut bien que tu aies quelqu'un avec qui tailler une bavette.

— Je n'arrive pas à me supporter moi-même... Tu es sur les routes depuis quand ?

— Depuis pas mal d'années. Lorsque les tueries ont commencé dans les maquis, j'ai dit à sœur Thérèse qu'il était temps pour moi de voler de mes propres ailes. Je n'ai pas volé bien haut, et l'atterrissage a été brutal. J'étais un peu Mowgli sortant de sa forêt. Très vite, je me suis aperçu que la compagnie des loups était moins navrante que la proximité des hommes. Six mois plus tard, je suis retourné au couvent. Il n'y avait que des feuilles mortes dans les corridors et des cadavres de pigeons en train de pourrir par terre. Tout avait été vandalisé. Il paraît que deux sœurs avaient été assassinées. Des traces de sang maculaient encore l'endroit de l'exécution. Les autres nonnes s'étaient volatilisées. C'était affreux. J'étais de nouveau seul. Le monde me paraissait aussi accablant que le deuil, sauf que le mort, c'était moi. J'étais l'ombre de quelqu'un qui me tournait le dos dans la glace. Même en passant de l'autre côté du miroir, impossible de le voir de face.

Une libellule virevolta çà et là, effleura l'eau de la retenue et fila en vrombissant rejoindre les moucherons qui gravitaient autour d'une touffe de lentisques.

— Tu penses que je ne suis pas digne d'être ton ami ? s'enquit Mika.

— Personne n'a besoin d'être digne de qui que ce soit.

— Ce n'est pas que les gens me manquent, précisa Mika. J'ai appris à vivre sans eux. Mais un ami, une fois par hasard, ce n'est pas rien. J'ai besoin de me fier à quelqu'un, de partager avec lui les joies et les soucis.

— Je ne suis pas cet ami.

Mika frappa dans ses mains, désappointé.

— Ce que tu peux être borné, quand même.

— Nous y voilà, grogna Adem en se mettant sur son séant, le visage cramoisi. Je t'accorde un soupçon d'importance, et hop ! tu me jettes à terre.

— Qu'est-ce que j'ai dit de mal ? Je ne t'ai pas manqué de respect.

— La familiarité déplacée prépare le terrain à l'offense. Ça commence par « borné » et ça finit en « fils de pute ».

— Si mes propos t'ont heurté, je te demande pardon. Je t'ai fait rire, il y a deux secondes. Tu as bien rigolé, non ? Ça prouve qu'il y a encore de la place pour les bonnes choses dans ton cœur et que ton esprit n'est pas entièrement dédié aux rancunes…

Adem dévisagea longuement le nain puis, ne trouvant pas de mots assez forts pour faire mal, il cracha sur le côté et se recoucha.

Mika se leva et alla se jeter dans la retenue. Il avait l'impression de renverser d'une main ce qu'il se tuait à redresser de l'autre. Il barbota dans l'eau, le temps de remettre de l'ordre dans ses idées, et revint lézarder au soleil, près d'Adem.

On n'entendait que le roucoulement de la petite cascade qu'accompagnaient le gazouillis des oiseaux et le zézaiement des moucherons.

Mika se promit de garder le silence. La susceptibilité à fleur de peau de l'instituteur l'embarrassait. Il se gratta la tête, les genoux, se mordilla les ongles, tournicota sa barbiche, renifla, se racla la gorge en jetant des regards fuyants à Adem. Incapable de se taire cinq minutes d'affilée, il lâcha :

— Tu crois qu'on peut sécher la mer ?

Adem frémit de la tête aux pieds.

Mika comprit qu'il venait de toucher une fibre particulièrement sensible. Il se mordit la langue à la trancher.

— Qu'est-ce que tu as dit ?

— Rien... Je t'ai seulement demandé si on pouvait sécher la mer.

— Pourquoi cette question ?

— Ben, bafouilla Mika, tu n'as pas arrêté de parler dans ton sommeil.

— Je parlais de quoi ?

— Je n'ai pas tout saisi.

— Je parlais de quoi ? hurla Adem, les veines du cou saillantes de colère.

— De trucs bêtes, comme quoi il y aurait des mondes meilleurs ailleurs et que pour s'y rendre, il faudrait pomper la mer jusqu'à ce qu'il n'en reste que du sel.

— Et quoi d'autre ?

— C'est tout.

Il ment, pensa Adem, *je vois dans ses yeux qu'il ment. Sûr que j'ai parlé de Dalal aussi. Surtout d'elle. Et ce lutin a tout entendu. Il doit me mépriser. C'est pour ça qu'il se paye ma tête depuis le matin.*

Adem saisit le nain par la gorge et l'écrasa au sol. Il tremblait de rage, le regard meurtrier.

— Je veux savoir ce que j'ai dit dans mon sommeil. *Tout* ce que j'ai dit.

— Tu es en train de m'étrangler. Lâche-moi, veux-tu ?

— Pas avant que tu m'aies *tout* répété.

Mika tendit le bras vers sa musette, en tira un couteau qu'il brandit sous le menton de l'instituteur.

— Bas les pattes, sinon je te saigne comme un porc.

Adem ne lâcha pas prise.

— Tu n'as pas honte d'espionner les gens ?

— Je n'écoute pas aux portes, protesta Mika. Ce n'est pas de ma faute si tu parles dans ton sommeil. Et puis, je n'ai pas capté tout ce que tu baragouinais. Je dormais, moi aussi, figure-toi. Je me demande d'ailleurs si je n'ai pas rêvé. Et maintenant, lâche-moi. On ne va pas se fâcher pour des futilités.

Adem retira sa main.

— Je ne suis pas un mouchard, poursuivit Mika. Si tu as tué des gens, si tu es en cavale ou bien en désertion, sache que tu n'as rien à craindre de moi.

— Ferme-la. Je ne veux plus t'entendre.

Les deux hommes ne s'adressèrent plus la parole.

Mika alla s'asseoir au bord de la retenue, les pieds dans l'eau, et ne bougea plus.

Adam couvrit du bras son visage pour masquer le roulement féroce de ses mâchoires.

Par-delà la crête, un rapace, qui avait l'air d'avoir horreur du vide, s'évertuait à faire croire qu'il remplissait le ciel à lui tout seul.

Le linge avait séché. Adem se rhabilla, ramassa ses effets personnels et se dépêcha d'aller récupérer son sac laissé dans la casemate pour reprendre la route. Rien ne le retenait dans ce coin perdu que hantait un « gnome envahissant ».

Mika enfila à moitié son pantalon et s'élança à la poursuite de l'instituteur en sautillant tantôt sur un pied, tantôt sur l'autre.

— Attends-moi, voyons. On ne peut plus t'adresser la parole sans te faire sortir de tes gonds. Tu es franchement pénible, à la fin.

L'instituteur pressa le pas.

— Si je t'ai énervé, pardonne-moi. Je t'assure que je ne pensais pas à mal. S'il te plaît, ne t'en va pas. Je te raconterai des cocasseries jusqu'à expurger tes veines du mauvais sang qui les infecte.

— Ne t'approche pas de moi.

— Mais pourquoi ? (Il arriva à la hauteur de l'instituteur, se mit en travers de son chemin.) Je suis désolé. Que faut-il que je fasse pour que tu me pardonnes ? Que je me jette à tes pieds ?

— Je te marcherais dessus.

— Je veux qu'on soit amis, c'est tout.

— Je n'ai pas besoin d'un casse-pieds. Je prends mes cliques et mes claques et je me barre d'ici.

— Pour aller où ?

— Au diable, s'il le faut.

— Le diable est en toi.

Adem s'arrêta net, foudroyé par le cri de Mika. Il serra le poing, mais ne cogna pas. Il écarta le nain et poursuivit son chemin. Son pas hargneux s'écrasait sur l'herbe comme une massue. Il s'engagea sur le raidillon qui menait à la casemate sans se préoccuper des pierres instables, buta sur une racine, perdit l'équilibre et dévala la pente en roulant sur lui-même. Les branches auxquelles il s'agrippa cédèrent les unes après les autres, accélérant sa chute. Adem dégringola jusqu'en bas du sentier, entraînant dans son sillage un éboulis de cailloux et de poussière. Il resta étalé de tout son long quelques instants, groggy, des éraflures sur le bras, de la terre dans les cheveux. Lorsqu'il tenta de se relever, une douleur atroce dans la jambe le cloua au sol.

8.

— À quelque chose malheur est bon, prophétisa Mika. Si tu ne t'étais pas foulé la cheville, sûr que tu allais faire une mauvaise rencontre sur la route, aujourd'hui. Je vais prendre soin de toi. Tu ne manqueras de rien.

Mika ne ménagea aucun effort pour mettre à l'aise son « patient ». Il le bichonna, veilla sur son sommeil, l'amusa en évitant les sujets qui fâchent. Il disparaissait parfois pour rentrer le soir, la musette garnie de galettes, de fruits, de légumes et de saucissons *casher*.

Adem passait ses journées au bord du ravin à contempler la vallée. Il restait là pendant des heures, assis sur un rocher, à communier avec le silence et les absences. Lorsque le soleil effleurait la rosée du matin, des milliers d'oriflammes blanches s'élevaient des vergers avant de se dissiper doucement au sommet de la montagne. La brume disparue, le ciel recouvrait son lustre azuré que le vol altier d'un épervier traversait tel un signe d'apaisement. Adem respirait l'air pur de la campagne, l'esprit expurgé de ses toxines. Il aurait aimé faire corps avec la pierre sur laquelle il était assis, que le temps s'arrête, qu'il n'y ait rien d'autre au monde que cette vallée oubliée des hommes et restituée à ses bêtes sauvages pour que la nature soit sauve.

— Regarde ce que je t'ai apporté, s'écria Mika du haut du raidillon en exhibant une paire de pataugas.

Il dévala lestement le sentier et vint s'agenouiller devant Adem.

— J'étais tellement heureux de te faire la surprise que je ne me suis pas reposé en chemin. Comment va ton pied ?

— Dans deux ou trois jours, je pourrai me déplacer sans l'aide d'un bâton.

Mika lui remit les chaussures en toile.

— J'espère qu'elles sont à ta pointure ?

Adem tourna et retourna les pataugas, les soupesa.

— Elles sont flambant neuves. Il n'y a pas mieux pour caler les chevilles, qu'il m'a certifié, le caporal. Et c'est pas fini, s'enthousiasma Mika en extirpant de sa musette une boîte cartonnée. Devine ce que j'ai là-dedans ? (Il souleva le couvercle de la boîte à la manière des magiciens.) Une ration de combat réglementaire. Du corned-beef, du lait concentré, de la soupe en poudre, de la confiture, du pain de guerre et même des bonbons acidulés.

— Tu es allé mendier dans une caserne ?

— Je suis tombé sur des soldats qui bivouaquaient au milieu d'une clairière. L'officier m'a demandé ce que je fabriquais dans le secteur. Je lui ai dit que j'avais un frère malade et que je cherchais de quoi le nourrir. Il a appelé le caporal et lui a ordonné de me prendre en charge. Le caporal m'a conduit chez le cuistot de l'unité et m'a invité à casser la croûte avec lui. Puis il m'a offert la boîte de ration et des pastilles à diluer dans l'eau pour la dépolluer…

Mika tira nerveusement sur l'arête de son nez. Ses yeux couraient dans tous les sens, telles deux proies traquées. Un moment, sa main voulut attraper celle de l'instituteur ; elle n'osa pas se hasarder de ce côté.

— Je suis très content que tu sois resté avec moi.

— Je n'ai pas le choix, lui fit remarquer Adem.

— Non, franchement, je suis très très content. Je n'ai pas arrêté de siffloter dans les bois. C'est vrai, ici personne ne me marche sur les pieds, mais parfois, je préfère être déçu par un ingrat qu'être seul avec mon ombre. La solitude est une ogresse qui rumine et qui n'avale pas.

— Rejoins ta tribu.

— Je n'ai pas de tribu, ni de famille, ni personne. Mon père m'avait caché à tout le monde. Pour lui, j'étais le monstre qu'il fallait à tout prix faire disparaître afin que son autorité de patriarche ne soit pas égratignée. Tu imagines ? Un homme vénéré par les siens hériter d'un garçon laid et contrefait !

— C'est curieux qu'un musulman sollicite un couvent.

— Il n'a pas sollicité un couvent, il m'a abandonné là, convaincu qu'aucun musulman ne me chercherait à cet endroit... Mais les secrets sont faits pour être dévoilés un jour ou l'autre. En 1956, une femme s'est présentée devant sœur Thérèse. Elle voulait récupérer son rejeton. Elle a expliqué que son mari, le caïd Brahim, avait été tué par les fellagas, que la tribu l'avait bannie, elle, et qu'elle était venue chercher l'enfant qu'on lui avait confisqué. Lorsqu'on m'a poussé devant elle, la femme a levé les mains au ciel et les a rabattues sur ses cuisses, et elle est partie sans se retourner... Si ma propre mère n'a pas voulu de moi, qu'ai-je à attendre des gens ?... Depuis, je ne fais que ballotter d'un exil à l'autre.

Il ramassa une poignée de poussière qu'il laissa filer entre ses doigts. Son front se plissa.

— J'ai essayé de la retrouver, tu sais ? Il n'y a pas si longtemps. Ça m'a pris d'un coup. J'ai eu envie de la connaître, de lui parler, peut-être de lui pardonner. J'ai sauté dans l'autocar. On a fait escale dans une gargote sur la route. Tout le monde est descendu se restaurer et se rafraîchir. Puis tout le monde est remonté à bord, et l'autocar est reparti sans moi.

— Le receveur n'a pas vérifié si ses passagers étaient au complet ?

Mika gonfla les joues.

— Nous vivons dans un monde où ce qui n'a pas d'intérêt pour soi ne mérite pas d'être vérifié. Mais ça n'a rien à voir avec le receveur. J'avais seulement décidé que je n'irais pas plus loin, que ce besoin de retrouver ma mère n'était pas une bonne idée.

— Qu'est-ce que t'en sais ?

— Il est des choses qu'on sait d'instinct. C'est comme une vérité qui ne dit pas son nom et qu'on est obligé d'admettre les yeux fermés... Mais bon, marre de remuer le couteau dans la plaie par une aussi belle journée. On a une boîte de ration complète et de quoi bouffer jusqu'à dégueuler. Le cuistot du bataillon atteste que le corned-beef est meilleur quand on le laisse mijoter avec des pois chiches. Ce soir, je vais te régaler.

Après le dîner, Mika nettoya la casemate de fond en comble, étala le matelas de camp à proximité de la paillasse et entreprit de laver la vaisselle.

Adem se demanda ce qui pouvait bien motiver un mortel pour qu'il se dépense de la sorte. Glaner un soupçon d'estime ?... Étrange paradoxe, se dit-il, se référer à l'appréciation des autres pour demeurer étranger à soi-même. Et puis, qui sont les autres, sinon des désillusions potentielles ? On se confie à quelqu'un, immédiatement on devient son otage ; on s'éprend d'une personne et, d'un coup, on se met à découvert ; on s'habitue à un être cher et, s'il vient à disparaître, il ne laisse que chagrin et déroute derrière lui. N'avait-il pas suffi à Dalal de le quitter pour qu'il se retrouve dépossédé de son histoire ? Les hommes inventent leurs malheurs dès lors qu'ils cherchent ailleurs ce qui est en eux, pensa-t-il. Ils s'abritent derrière leur clan, vivent aux crochets de leur tribu, s'improvisent maillons indissociables de la chaîne identitaire pour ne jamais s'affranchir de la dépendance, s'attribuant, sans gêne aucune, l'exploit de leurs héros lorsqu'ils ne prennent pas sur eux la débâcle de leurs vaincus – toujours à se cacher derrière leur petit doigt et à croire dur comme fer qu'ils ne sont à leur place que là où l'on a décrété qu'ils devaient être. C'est terrible, déplora Adem, de se fondre dans la masse alors que l'on est entier et seul dans la douleur.

— Pourquoi me regardes-tu de cette façon ? s'enquit Mika.

— Je te regarde, c'est tout.

— Et à quoi penses-tu ?

— À rien de spécial.

— Tes yeux bouillonnent de questionnements. Vas-y, avoue.

— Avouer quoi ?

— Que je te fais pitié.

— Tu dis n'importe quoi.

Mika s'essuya les mains sur son pantalon et s'assit à croupetons en face d'Adem, si près qu'il perçut le souffle de ce dernier sur son visage.

— J'ai appris à décrypter ce regard. Tant de gens l'ont posé sur moi... Tu dois te demander pourquoi je me donne tant de mal pour quelqu'un qui me prend de haut. Eh bien, je vais te le dire. C'est parce que je suis humain. Je suis fait d'émoi et d'effroi, j'ai mes petites lâchetés et mes moments de bravoure, et j'ai autant de dignité qu'un Juste. Ne crois surtout pas que je te cire les pompes pour que tu m'aies à la bonne. J'ai sans doute besoin de ton amitié, mais si tu tiens à la garder pour toi, je m'en passerai volontiers.

— Voilà que tu pars en vrille, petit bonhomme.

— Je ne suis pas un petit bonhomme. Si tu veux me voir autrement qu'une curiosité foraine, commence par m'appeler par mon nom. Je m'appelle Mika... Mi-ka... M.I.K.A... J'ai été élevé par des dames magnifiques qui m'ont appris à faire la part des choses, à dire merci et pardon, et à ne juger personne. Ma taille ne minimise pas ma personnalité. De toutes les façons, on est toujours le nain de quelqu'un. Ma prétendue morphologie inaccomplie, je m'en accommode. La nature n'est pas malhabile. Elle conçoit toute chose à la perfection. C'est le regard des gens qui est déformant.

— Je gambergeais. Ça te dérange ?

— Ça dépend de ce qui te trotte dans la tête. Parfois, on se pose des questions idiotes et on leur cherche des réponses là où elles ne figurent pas. Je ne suis pas en train de te vendre mon âme. J'ai de la sympathie pour toi, c'est tout. Ta présence me réconforte. En retour, je prends soin de toi. Un jour, tu vas partir.

Peut-être qu'on ne se reverra plus. J'ignore quel type tu es, si tu te souviendras de moi ou pas. Je ne sais pas pourquoi tu te caches derrière ton ombre, ni qui tu fuis ni ce que tu pourchasses. Ce n'est pas mon problème, c'est le tien. Moi, je crois dans la bonté et dans l'amitié. C'est vrai, je me suis fait truander par pas mal d'énergumènes que j'ai nourris et hébergés, mais je ne renoncerai pas à ce que j'estime être la plus noble des vocations : être utile aux autres. Si mes obligés me rendent la pareille, tant mieux ; s'ils me mordent la main ou s'ils me font un bras d'honneur en guise de signe d'adieu, tant pis. L'essentiel est de continuer de croire dans la générosité des cœurs et de l'esprit.

Adem leva la main pour mettre fin à une discussion qui commençait à l'horripiler au plus haut degré à cause de son caractère moralisant.

Mika rinça les derniers ustensiles, les rangea sur l'étagère et se mit à pomper le réchaud pour préparer du café.

Il dit, la voix grave :

— Beaucoup de gens se trompent sur leur compte, tu sais ? Certains croient être ce qu'ils voudraient être et renient ce qu'ils sont vraiment, d'autres finissent par se rendre à l'évidence et mettent un peu d'eau dans leur vin. Si les premiers sont à plaindre, les seconds n'ont pas grand-chose à leur envier. Parce que personne ne se fait tout seul. Notre mérite est de l'admettre, et notre excuse aussi… Je parie que tu étais quelqu'un de bien, avant. Puis tu as été sévèrement floué et tu as perdu confiance dans l'espèce humaine. C'est quoi ton histoire, toi qui tais jusqu'à ton nom ? Est-ce à cause des horreurs de la guerre ou bien à cause d'une idylle qui aurait mal tourné ?

— D'après toi ?

— De toutes les façons, il te faut réapprendre à vivre.
— Comment réapprendre à vivre ?
— En gardant la foi.
— Et quelle est la tienne, toi qui es en froid avec ton Seigneur ?
— Ne jamais me considérer comme mort avant d'être enterré.

9.

Un cri retentit au-dehors, suivi d'un bruit de chute. Des pierres crissèrent dans un éboulis et vinrent s'entrechoquer devant l'entrée de la grotte. Mika tendit l'oreille, un doigt sur la bouche pour prier Adem de rester tranquille.

— Qui va là ?

— Merde, merde, merde, protesta une voix éraillée à l'extérieur de la casemate. Quand est-ce que tu vas déblayer ces sales cailloux sur le chemin qui mène à ta tanière, Mika ?

Une formidable jubilation empourpra le visage du nain qui bondit sur ses pieds, les bras grands ouverts, et courut hors de l'abri en hurlant : « Champion est de retour ! »

Un homme décharné était accroupi devant un sac de jute qu'auréolait une tache humide. Il avait de la poussière sur le dos et sur l'arrière du crâne, et une déchirure au pantalon.

— J'ai failli me briser le cou.

— Tu es quand même revenu, tête de mule, lui cria Mika, heureux comme tout.

L'homme, qui paraissait aussi vieux que le monde, ouvrit le sac et montra une pastèque déchiquetée.

— Je l'ai achetée pour toi à Douar Mensi.

— Tu l'as transportée depuis Douar Mensi ?

— Oui.

— Mais c'est à des kilomètres d'ici.

— N'est-ce pas ? soupira le vieillard. Quand je pense à tous les sentiers que je me suis tapés avec cette chaleur pour me retrouver les quatre fers en l'air à l'arrivée, j'ai envie de me torgnoler jusqu'à ne plus avoir de peau sur la figure. C'était une belle pastèque gorgée de jus aussi doux que la salive d'une femme sur le bout de la langue. Je crevais de soif sur la route et pas une seconde je n'ai cédé à la tentation. Je me disais : elle est pour Mika, la pastèque, et pour personne d'autre.

— C'est le geste qui compte, champion. On ne va pas chialer pour un misérable fruit alors qu'on est censés fêter nos retrouvailles.

— T'as raison. Tu ne peux pas mesurer combien je suis content de te revoir.

— Et moi, donc.

Les deux hommes se jetèrent dans les bras l'un de l'autre, s'embrassèrent en se bourrant les flancs de petits coups affectueux. Un moment, ils cessèrent de s'enlacer, reculèrent d'un pas et se mirent à se boxer au ralenti avant de s'étreindre de nouveau.

Adem sortit de la casemate.

Mika et le vieillard dansaient dans la poussière. On eût dit deux ombres chinoises disproportionnées auxquelles la lumière rasante du soleil couchant conférait un relief surréaliste. Adem trouva leur enthousiasme surfait. Il considéra l'inconnu ; ce dernier était grand, maigre, avec un visage entaillé et des yeux de bête traquée. Lorsqu'il riait, son faciès se fripait horriblement et sa bouche s'écartait sur des chicots jaunâtres et ébréchés. Il avait une épaule plus basse que l'autre ; trois doigts manquaient à sa main gauche. Ses guenilles luisaient de crasse, ses savates usées étaient raccommodées avec des bouts de ficelle. L'individu semblait avoir été avorté par la nuit elle-même, une nuit de cauchemar et de hurlements. Il en portait les ténèbres jusque dans le regard.

— C'est Turambo[1], s'écria Mika.

Adem ne réagit pas.

— Tu ne le remets pas ?

Adem fit non de la tête.

— Tu n'as jamais entendu parler de Turambo le boxeur, une légende des années 1930 ? Il a été champion d'Afrique du Nord. Il a jeté au tapis de grands balaises comme le Rojo, Pascal Bonnot le Concasseur, Marcel Cargo de Bône…

— Jamais entendu parler.

Mika se demanda si l'instituteur ne faisait pas exprès de jouer à l'ignorant. Il persista :

— On chantait ses victoires dans les mariages. Ses affiches étaient placardées dans les cafés et les boutiques tenus par nos compatriotes. (Derrière Mika, le vieil homme exécuta quelques feintes en boxant dans le vide. Adem trouva sa prestation lamentable.) Turambo, le roi du ring, le…

— Tu es sourd ou quoi ? explosa Adem. Je te répète que je n'ai jamais entendu parler de lui.

---

1. Voir du même auteur *Les anges meurent de nos blessures*, Julliard, 2013.

— Qu'est-ce qu'il lui prend, à ce type ? grogna le vieillard en ravalant son sourire bienveillant. Et c'est qui, lui, d'abord ?

Mika s'aperçut qu'il ne connaissait toujours pas le nom de l'instituteur.

— J'ai passé des années au bagne, j'en ai le cœur et le cul bousillés, mais j'fais jamais la gueule quand je rencontre quelqu'un pour la première fois. Pourquoi il me prend de haut, hein, Mika ?

— Il est un peu sur les nerfs, c'est tout.

Le vieillard s'avança sur Adem.

— Rentrons, intervint Mika pour empêcher que les choses dégénèrent. J'étais justement en train de préparer du café.

— Je broie suffisamment du noir comme ça, grogna le vieillard en incendiant Adem des yeux.

Mika poussa l'ancien boxeur à l'intérieur de la casemate.

Adem resta dehors, les mâchoires serrées, à se demander si le moment de reprendre la route n'était pas venu. Il estimait qu'il y avait trop de monde sur le ravin.

La nuit était tombée. Une belle nuit de l'été algérien, avec son ciel constellé de milliers d'étincelles et sa lune éclatante. La forêt bruissait de rumeurs chantantes qu'un chacal tentait vainement de chahuter dans l'obscurité. Adem contemplait les lumières d'un village lointain. Il essayait d'évacuer le relent qui empuantissait son intérieur et n'y arrivait pas. La sérénité alentour ne l'éveillait guère aux rêveries. Il ruminait son déplaisir en tournant le dos aux deux hommes qui bavardaient devant l'entrée de la grotte sans lui prêter attention.

— Tu as retrouvé ta famille ? demanda Mika au vétéran du ring.

— À part la tombe de ma mère, aucune trace des miens. On dirait que la terre les a avalés.

— Tu es retourné à Oran ?

— Personne ne m'a reconnu, là-bas. Ce ne sont plus les mêmes gens qui habitent mon quartier. Je suis allé dans notre ancienne maison. Les nouveaux occupants m'ont claqué la porte au nez. Ils m'ont pris pour un mendiant.

— Tu es resté trente ans au bagne. Il s'en passe, des choses, en trente ans.

— Vingt-trois ans seulement, corrigea Turambo.

— Trente ou vingt-trois ans, c'est une même éternité. Il y a eu le typhus, puis la Seconde Guerre mondiale, puis la guerre de Libération et ses exodes massifs.

— Et alors ? Ce n'est pas la fin du monde. Comment veux-tu que je me reconstruise si je ne retrouve pas mes racines ? J'ai gâché une partie de mon existence à casser la pierre dans les carrières, mais il m'en reste une autre pour reprendre goût à la vie. C'est très dur d'être seul au monde, Mika.

— À qui le dis-tu.

— On suppose que les marins n'ont pas le mal de mer, mais ils ont un mal plus grand, le mal de la terre ferme, de la maison, des êtres qu'on aime. Eh bien, mon mal à moi est plus douloureux encore. Un marin finit toujours par rentrer chez lui retrouver les siens, les copains et les petites habitudes. Moi, je navigue à l'aveugle et aucun horizon ne me propose de port d'attache.

Mika s'empara du quinquet et l'agita devant le visage de l'ancien boxeur.

— Tu pleures, champion ?

— Éloigne de moi cette saloperie de lampe.

— Est-ce que je pleure, moi ? Toi, au moins, tu as connu tes parents. La seule fois où j'ai à peine eu le temps d'entrevoir le visage de ma mère, c'était pour ne plus le revoir. J'aurais aimé n'avoir jamais eu à le voir. De cette façon, je n'aurais pas à mettre un visage sur mon infortune. Mais il faut bien tourner la page, si on veut passer à autre chose. À ta place, champion, je cesserais de courir après des fantômes. Dégotte-toi un boulot et un bout de femme et laisse-les te réparer. Oui, trouve-toi une femme qui sera le reflet de toutes les belles choses en ce monde, une femme qui, lorsque tu la regardes, te fait perdre de vue les horreurs que l'on t'a infligées.

— Tu as plus de chances de croiser cette femme que moi, Mika. Tu ne vois pas ce que je suis devenu ? Je suis vieux, et laid, et paumé. Je traîne mon boulet de forçat dans la tête et je ne ressemble à rien.

— C'est l'image que tu te fais de toi. Parce que tu culpabilises à tort et à travers. Tu veux reprendre goût à la vie ? Ça ne dépend que de toi. Prends les choses comme elles viennent et fais-en ce que tu veux qu'elles soient. Il se pourrait qu'un jour, tout à fait par hasard…

— On n'est pas très copains, le hasard et moi, maugréa Turambo.

— Tu n'es même pas copain avec toi-même, champion.

— Tu crois ?

— Qu'est-ce que je t'ai dit, la dernière fois que tu m'as sorti la même rengaine ? Que t'es resté longtemps absent et que le pays s'est bougrement transformé depuis. Est-ce que tu m'as écouté ? Tu es reparti frapper aux portes et tu me reviens, aujourd'hui, lessivé et déprimé. Tu comptes passer le restant de ta vie à traîner sur les routes ? Tu as été à Oran, non ?

— Oui.

— Est-ce que ça t'a avancé à quelque chose ?

— Non, mais...

— Mais quoi, champion ? Tu cavales après du vent. Un jour, on découvrira ton cadavre en train de pourrir au soleil sur un chemin. C'est ce que tu veux ?

— Que veux-tu que je fasse ?

— Reste avec moi. Tu n'es pas bien chez moi ? On a tout ce qu'il faut pour divorcer d'avec ce qui nous fait souffrir.

— Tu es un saint, Mika. Y a pas à dire, tu es un brave comme y en a pas deux nulle part, mais je pourrais pas faire comme s'ils étaient morts et enterrés, mes proches, tu comprends ? Il faut que je sache la vérité pour que je fasse mon deuil et être en paix avec moi-même.

Mika reposa le quinquet par terre, déçu.

— À t'entendre, on mesure combien on est injuste avec les mules, champion.

Adem se sentit visé par les propos du nain. Il se leva et s'éloigna dans la nuit. Il évita d'emprunter la pente caillouteuse, suivit le rebord du ravin jusqu'à un passage qui se faufilait entre les fourrés et marcha droit devant lui. Sa cheville lui faisait un peu mal, mais il avançait correctement. Les mains derrière les dos, le menton dans le cou, il ruminait une nuée de pensées négatives : il n'avait rien à faire dans les parages. Mika n'avait plus besoin de prendre soin de son « patient » ; le ciel venait de lui envoyer quelqu'un avec qui il s'entendait à merveille et qui lui ressemblait comme un jumeau.

Adem ne savait pas si c'était la jalousie ou le sentiment d'être disqualifié qui le dépitait.

Les hommes ne changeront pas, se dit-il. Ils ne voient que leur intérêt.

Lorsqu'il retourna à la casemate, il trouva les deux hommes là où il les avait laissés, sur le pas de la grotte, à papoter en buvant du café. Turambo racontait ses années de bagne, ses pérégrinations à travers le pays, la crève qui avait failli l'emporter en hiver, les mauvais jours et les mauvaises nuits qu'il avait négociés çà et là. Mika l'écoutait avec une compassion outragée. Il reprochait à l'ancien boxeur son entêtement à courir après le passé en tournant le dos aux lendemains. Le vieillard persistait en arguant qu'aucun avenir ne s'envisage avant de régler ses comptes avec les absents. Adem n'en pouvait plus de les entendre pérorer sans s'écouter vraiment. Les mains derrière le dos, il pria pour que les deux hommes dégagent l'entrée de la grotte afin qu'il puisse rentrer se coucher. Mais ces derniers continuèrent de jacasser en l'ignorant. Ils ne rejoignirent leur paillasse qu'au moment où Adem se mit à shooter dans les cailloux.

Une fois dans la grotte, Mika et Turambo reprirent leur conversation. Adem demanda qu'on éteigne la lumière en prétextant qu'il avait mal à la tête. Mika éteignit le quinquet. Les discussions se poursuivirent dans le noir jusqu'au lever du jour, au grand dam de l'instituteur.

Tard dans la matinée, en se levant pour préparer le petit déjeuner, Mika trouva le matelas de camp qu'occupait Adem vide et constata que le sac et les affaires de l'instituteur avaient disparu.

10.

Caché derrière un buisson, le cahier d'écolier ouvert sur les genoux, Adem s'escrimait à développer par écrit une idée qui venait de lui traverser l'esprit en pensant à son oncle – le cul-de-jatte reclus dans son gourbi de pestiféré où personne ne daignait lui rendre visite. « Tu veux vivre à ta juste mesure, mon garçon ? lui confiait-il en lui étreignant les mains. Ne pousse pas tes limites là où tu ne pourras pas les atteindre. Nous ne sommes que des illusions appelées à s'évanouir sans crier gare. Si tu pars du principe que ce qu'il t'arrive fait partie de ta propre histoire, tu trouveras la force de t'accepter tel que tu es. »

Adem mouilla la pointe de son crayon sur le bout de sa langue, leva la tête pour réfléchir. Le ciel était aussi blême que la page blanche. Adem contempla les rares nuages ébouriffés qui évoquaient des présages orphelins de leur prophétie, puis la montagne confisquant l'horizon et, à court d'idées, il referma sèchement le cahier.

D'après un charbonnier, Adem se trouvait sur le versant sud-ouest du massif de l'Ouarsenis. Comment avait-il échoué en ces contrées rugueuses où le Temps semblait crucifié sur chaque arbre ? Il l'ignorait. Il marchait, marchait, persuadé que s'il venait à s'arrêter, il ne connaîtrait pas la fin de l'histoire. Or, il tenait à la connaître, cette fin… *Pourquoi m'as-tu obligé à le faire, mon oncle ? Vois comme je paye, maintenant. La trahison de Dalal est la peine que je dois purger pour le restant de mes jours.* « Ça n'a rien à voir, mon garçon. Personne ne sait pour notre accord. C'était notre engagement solennel et secret. Dalal t'a quitté parce qu'elle ne t'aimait plus. C'est aussi simple que ça. » *Alors, pourquoi suis-je en train d'errer comme une âme en peine ? Pourquoi ? Pourquoi ?…* Une intime conviction, aussi insaisissable qu'obsessionnelle, le persuadait que la réponse était au bout de la route. Bonne ou mauvaise importait peu ; il voulait la rattraper pour ne plus se poser de questions.

Adem songeait souvent aux « déficients mentaux » de Joinville, à Rex, Driss, Laïd, à leur échine ployée comme un point d'interrogation. Ils étaient perdus parce qu'ils n'avaient pas la réponse.

Il pensait parfois au nain et à son ami, le vieux boxeur, et là encore, il ne décelait que des épouvantails abscons.

Était-ce pour distancer ce qu'il laissait derrière lui qu'il fonçait droit devant ? Pourtant, tous les chemins qu'il empruntait débouchaient sur du déjà-vu.

Alouetta genti alouetta
Je te plimeri la tite
Aïe la tite, aïe la tite

Quelqu'un chantait dans le bois. Adem écarta les herbes folles qui le camouflaient et aperçut, à un jet de pierre, un drôle de personnage surgir du taillis. C'était un géant bedonnant au visage cramoisi et à la poitrine bardée d'amulettes et de rubans tressés. Il portait un vaste chapeau multicolore, une sorte de cape taillée dans un tapis berbère et un saroual qui lui arrivait aux genoux, dévoilant des jambes velues aux mollets impressionnants. Une perche dans une main, tel le bâton de Moïse, il braillait à tue-tête, s'arrêtant de temps à autre pour parler aux oiseaux qu'il cherchait des yeux parmi les feuillages. Il leur adressait des signes affectueux puis s'éloignait à reculons en effectuant des courbettes révérencieuses comme s'il prenait congé d'un sultan.

— Encore un toqué, déplora Adem.

L'homme reprit son chemin et sa comptine. On n'entendit plus que sa voix ravagée qui s'atténuait au fur et à mesure qu'il s'éloignait.

Cela faisait deux semaines qu'Adem avait quitté le ravin du nain. Les premiers jours, il maraudait dans les vergers pour survivre. Mais depuis qu'un molosse avait failli le réduire en pièces, Adem avait appris à évaluer les risques.

La veille, tard dans la nuit, il avait volé des œufs dans un poulailler. Cela n'avait fait qu'accentuer sa faim. Ne sachant pas s'il y avait d'autres fermes sur sa route, Adem choisit de rester dans les parages et d'attendre la nuit pour retourner dans le poulailler voler une poule.

Vers midi, un garçon sortit de la ferme.

Adem se dissimula derrière les buissons.

Le garçon se dirigea droit sur l'instituteur.

— Mon père t'envoie un peu de soupe, dit-il en posant un bol et une tranche de galette par terre.

Adem vit un homme debout au milieu des champs, les mains sur les hanches. Il était trop loin pour que l'on distingue les traits de son visage.

— Mon père te demande de plus effrayer nos poules, ajouta le garçon. Hier, il t'a pris pour un renard et il a sorti son fusil. Il aurait pu te tirer dessus.

— Ce n'est pas moi.

— Mon père t'a vu et il te surveille depuis le matin. Il te dit que si tu as faim, tu peux venir manger à la maison. Mais que ce n'est pas bien d'effrayer la volaille.

L'homme agita une main indulgente en direction de l'instituteur et rentra chez lui.

Adem renifla le bol avec délectation avant de le porter fébrilement à sa bouche. Il ingurgita la soupe et la galette avec une voracité qu'il ne se connaissait pas. En levant la tête, ce qu'il lut dans les yeux du gamin lui coupa net l'appétit.

— Si tu as encore faim, je retourne te chercher une autre ration.

Adem rendit le bol, congédia le garçon et reprit la route sur-le-champ, le regard de l'enfant imprimé dans son esprit. Était-ce le même regard qu'il posait, autrefois, sur son cul-de-jatte d'oncle ?

Août tirait à sa fin. Bientôt la terre ne serait que boue, et les nuits froides et hurlantes de vent ; Adem ne pourrait plus dormir où ça lui chantait. Il lui fallait de l'argent afin d'affronter l'automne et ses orages. Aussi, lorsqu'il aperçut un cantonnement d'ouvriers déployé sur un terrain vague, il n'hésita pas à aller frapper à la porte du chef de chantier. Certes, il ne savait pas faire grand-chose de ses mains, à part tenir un crayon ou un morceau de craie, mais il était décidé à les mettre toutes les deux dans le cambouis pour ne plus avoir à subir la pitié d'un mioche ou à risquer sa peau pour de misérables croûtons.

Le cantonnement était composé de trois roulottes déglinguées, d'une grande tente qui servait de cantine et d'un box en retrait qui faisait office de bureau. Un engin monstrueux crachotait autour d'un amas de poteaux en bois tandis qu'une dizaine d'hommes creusaient des trous le long d'une ligne virtuelle qu'un géomètre européen traçait à l'aide d'un appareil de mesure sur trépied.

Les ouvriers étaient torse nu, la casquette enfoncée jusqu'aux oreilles pour se protéger du soleil. Chaque coup qu'ils portaient au sol semblait les délester d'un bout de leur âme.

Adem tergiversa. Il craignait de ne pas être capable de piocher, à longueur de journée, une terre rocailleuse sous une chaleur écrasante.

Devant le box, deux hommes, l'un petit et maigrichon, l'autre gigantesque, tenaient tête au chef de chantier.

— Tu n'as pas à me crier dessus, s'emportait le gringalet, la bouche écumante. Je ne suis pas ton valet. (Le géant approuvait de la tête, solennel.) Je ne me prosterne que devant Dieu, moi.

— Tu n'as qu'à t'acquitter correctement de ton travail, lui rétorqua le chef. Tu n'es pas en colonie de vacances, mon gars. Tu es sur un chantier, et sur un chantier, on turbine.

— On n'est pas au bagne, non plus. Quand je suis crevé, je me repose.

— Ça fait trois heures que tu chatouilles le même trou. À cette allure, on n'est pas près d'être dans les temps. Nous avons quarante poteaux à planter avant la fin de la semaine pour permettre aux électriciens de l'EGA d'installer leurs câbles.

— Ouais, mais c'est pas une raison pour me traiter comme si j'étais ton esclave. Quand bien même t'es le patron, tu m'engueules avec respect. Le colon est parti, je te signale. Nous sommes libres, maintenant. (Le géant hochait la tête en silence, totalement acquis à la cause du gringalet.) Tu lèves le doigt quand tu t'adresses à moi, compris ? Te fie pas à mon physique. J'en ai p't-être pas l'air mais, je te préviens, j'suis aussi dangereux qu'un cracheur de feu dans une soute à munitions, moi.

— Tes camarades…

— J'en ai rien à cirer, de mes camarades. S'ils adorent se faire marcher dessus, c'est leur affaire. Arezki (du pouce, il désigna le géant) et moi, on a notre fierté.

— Ouais, grogna Arezki, on marche pas à la trique, nous.

— C'est moi qui commande, ici, leur rappela le chef de chantier, intransigeant. Ce n'est pas parce que le colon est parti qu'il n'y a plus de maître à bord. Ou vous rentrez dans le rang ou vous dégagez. Si vous vous entêtez, j'appelle les gendarmes.

Au mot « gendarmes », le géant déglutit et changea aussitôt d'attitude.

— Peut-être qu'il a raison, chuchota-t-il au gringalet. S'il est le chef, c'est son droit de nous crier dessus. On n'a qu'à se boucher les oreilles. Et puis, les gendarmes, ils discutent pas. Ils te posent une question et te foutent deux coups de matraque en même temps. Et toi, tu ne sais plus si tu dois répondre ou crier de douleur.

— Tais-toi, le somma le gringalet.

— Moi, je retourne finir mes trous. J'ai besoin de sous pour rentrer au bled. Faut bien que je me marie un jour ou l'autre, cousin Slim. Toi-même disais qu'un gars qui n'a pas de femme n'a pas sa place parmi les hommes. Tu m'en voudrais pas, hein, si je reprenais le travail ?

Sur ce, il empoigna la pioche contre laquelle il s'arc-boutait et rejoignit les ouvriers sur le terrain vague.

Le gringalet grommela un juron, s'empara d'une brouette et regagna son poste.

— Que puis-je faire pour vous, monsieur ? demanda le chef à Adem.

— Je cherche du travail.

— Vous n'avez qu'à vous armer d'une pelle. Vous reviendrez après le boulot pour que je vous inscrive sur le registre.

Adem n'en pouvait plus de piocher et de pelleter. Il avait creusé deux trous et en était à son troisième lorsque retentit le coup de sifflet qui mettait fin au calvaire. Les ouvriers rangèrent leurs outils et essaimèrent autour des fûts à mazout remplis d'eau. Ils se lavèrent la figure et le torse, se frottèrent sous les aisselles et s'essuyèrent dans des torchons. Adem attendit son tour pour se débarbouiller. Il avait les mains en feu. Après la toilette, il se rendit au bureau du chef de chantier ; on l'inscrivit sur le registre et on lui fournit un lit de camp et une couverture.

Une fourgonnette arriva dans un tintamarre de ferraille. Deux employés en descendirent une marmite en émail qu'ils traînèrent sous la tente. Les ouvriers rappliquèrent aussitôt, gamelle à la main. Un gros bonhomme joufflu tourna à plusieurs reprises une louche dans la marmite avant de commencer à distribuer la soupe. Chacun eut droit à sa part, sauf Slim et son géant de cousin qui réclamèrent moins de bouillon et plus de légumes en menaçant de déclencher une insurrection. Ils furent servis à leur convenance.

Adem s'isola pour manger.

Après le souper, à l'exception de Slim et d'Arezki qui s'étaient retirés derrière une roulotte afin d'échafauder à tête reposée d'autres figures d'insubordination, les ouvriers se rassemblèrent autour d'une lanterne pour se détendre un peu. Quelqu'un se mit à raconter des grivoiseries, et le rire des hommes fatigués résonna dans le silence comme une conjuration.

La brise du soir restitua à l'aridité alentour un soupçon de fraîcheur. Çà et là, au fin fond de l'obscurité, des feux clignotaient, trop épars pour rivaliser avec les millions d'étincelles qui constellaient le ciel.

— Et tu n'avais rien remarqué ? fit un grand gaillard au moustachu qui narrait ses mésaventures sexuelles.

— Ben, il faisait noir.

Les rires fusèrent de nouveau, pour faire un pied de nez à la fausse sérénité de la nuit.

Le géomètre, un Espagnol filiforme, roux comme une feuille d'érable, arpentait le camp en tétant une pipe. C'était un *pied-rouge* (surnom donné au contingent d'étrangers bardés de diplômes venus d'Europe et d'ailleurs aider l'Algérie à se reconstruire au lendemain de son accession à l'indépendance).

— Il doit s'embêter ferme, remarqua le grand gaillard. Je suis sûr qu'il crève d'envie de se joindre à nous, sauf qu'il est trop timide.

— On ne parle pas espagnol.

— Il parle peut-être français. Appelle-le, Mourad. Sûr que ça va lui faire plaisir.

Mourad alla chercher le géomètre qui accepta volontiers l'invitation du groupe. On se poussa pour lui laisser de la place.

— Alors, monsieur Lopez, vous prenez votre mal en patience ? lui demanda le moustachu.

— *Chouia, chouia.*

— L'Andalousie doit vous manquer ?

— Je viens des Asturies.

— C'est sur quelle planète ?

Le géomètre sourit.

— Vous connaissez Carlos le Gitan de Sidi Bel Abbes ?

— Comment veux-tu qu'il connaisse ton Carlos le Gitan ? s'exclama le voisin du moustachu. Ce n'est pas parce qu'il est espagnol qu'il est censé connaître tous ses compatriotes.

— C'est pour le mettre à l'aise, dit le moustachu en arabe. Le pauvre, il a l'air si dépaysé.

— J'aime beaucoup Alger, dit Lopez. Ville très jolie. Belles femmes aussi.

— Vous fantasmez, monsieur Lopez. Nos femmes sont voilées de la tête aux pieds. Personne ne peut deviner si elles sont jolies ou pas. Ne vous avisez surtout pas de soulever leur voile. C'est le sourire kabyle garanti dans la seconde qui suit.

— Pourquoi tu lui parles comme ça ? s'indigna un freluquet enturbanné. Il a quitté son pays et sa famille pour venir nous aider à remettre notre patrie sur les rails.

— C'est pour rigoler.

— Eh bien, c'est pas drôle.

— Holà ! les gars, intervint le gros qui servait la soupe tout à l'heure. Y a pas moyen d'engager une conversation sans que ça dégénère, chez nous. Ighil, s'il te plaît, chante-nous quelque chose d'El Anka.

Un quinquagénaire cachectique, qu'on eût dit rescapé d'un camp de la mort, se mit à gratter sa mandoline. Sa voix sublime se répandit telle une baraka sur le chantier.

Retranchés dans leur coin, Slim et son colosse de compagnon complotaient à l'abri des indiscrétions. Adem se trouvait à quelques mètres d'eux, assis sur son lit de camp, de l'autre côté de la roulotte.

— J'ai un plan, dit le gringalet.

— Waouh ! T'as toujours un truc, toi. Comment tu fais ?

— Je gamberge.

— Je gamberge, moi aussi, mais rien ne vient.

— C'est parce que t'es pas assez futé.

Arezki acquiesça :

— C'est vrai, j'suis pas très futé. Alors, c'est quoi, ton plan, cette fois ? s'enthousiasma-t-il en se frottant les mains.

— On se barre d'ici, cette nuit.

L'excitation du colosse s'éteignit d'un coup.

— On a bossé comme des forçats, Slim.

— On n'a qu'à reboucher nos trous. Comme ça, on sera quittes. On trouvera du boulot ailleurs.

— Je te suis pas, cousin Slim. On se tue à la tâche puis, à quelques jours de la paye, tu veux qu'on parte les mains vides ? Je veux rentrer à Iboudraren. Avec de quoi me marier. J'ai envie d'épouser Taos. Et puis, je me méfie d'Akli. Il arrête pas de tourner autour de Taos. Il raconte partout que son huile d'olive est la meilleure du pays et qu'il sera bientôt le plus riche de Beni Yenni, et peut-être de toute la Kabylie. C'est pour embobiner Taos qu'il fanfaronne.

— Personne ne te volera Taos, Arezki. Mon père te l'a promise alors qu'elle ne savait pas encore tenir sur ses pattes.

— J'ai pas confiance. Akli est malin à enfermer le diable dans une bouteille. S'il te plaît, Slim, attendons de toucher notre argent.

— C'est pas un salaire de misère qui va changer quelque chose. Y a d'autres moyens de s'en mettre plein les poches. Sans trop se fatiguer. On ira dans un dépôt et on volera des outils qu'on écoulera au marché noir. Je connais une fabrique du côté de Cherchell. Le gardien est un vieil abruti qui passe ses nuits à picoler. Il n'entendrait même pas un tank débarquer dans sa guérite.

— Je veux pas retourner en prison, Slim. Je tiens pas à avoir Omar le geôlier sur le dos. Il est petit, il m'arrive à la ceinture, mais il cogne tellement dur. S'il te plaît, Slim. On touche notre argent d'abord, et on rentre au bled.

Slim s'énerva et alla shooter dans les cailloux à travers le terrain vague. Arezki courut le rattraper pour le raisonner.

Adem les regarda gesticuler dans le noir. Ils lui rappelaient Lennie et George, les deux protagonistes créés par John Steinbeck dans son roman *Des souris et des hommes*. Deux êtres désarçonnés, étrangement liés par ce qui les opposait, l'un instable et l'autre suiveur, faisant de leur incompatibilité manifeste un même front pour braver l'adversité. Il y avait, dans leur déroute, quelque chose très proche de ce qu'il se passait dans la tête de l'instituteur ; une sorte de fracas né de la collision de deux réalités paradoxales, le piège des horizons obscurs et l'urgence de trouver sa propre voie quitte à courir à sa perte.

Adem griffonna dans son cahier avant de s'allonger sur son lit de camp pour dormir.

Un vent de sable se déchaîna sans préavis. En quelques rafales, le chantier disparut dans un tourbillon de poussière rugissante. Coincés dans les roulottes, les ouvriers attendaient que les éléments s'apaisent pour reprendre le travail.

Le chef de chantier convoqua Adem, dont le comportement à l'intérieur du groupe laissait à désirer. Il le reçut dans son bureau, lui offrit du thé et l'invita à prendre une chaise.

— Vous êtes parmi nous depuis une quinzaine de jours, Sy Naït-Gacem. Je ne vous ai pas vu une seule fois adresser la parole à quelqu'un.

— C'est obligatoire ?

— Non, mais… Il y a une bonne ambiance sur le chantier. Les ouvriers viennent d'horizons différents, chacun avec sa mentalité, pourtant ils ont réussi à instaurer un excellent esprit d'équipe. Ils travaillent dur, s'épaulent, et ils s'amusent. Hormis Slim et Arezki, qui sont plus timbrés que dangereux, tous les autres s'entendent à merveille.

— Tant mieux pour eux.

Le ton d'Adem était monocorde, froid.

Le chef lui proposa une cigarette ; l'instituteur la refusa.

— Vous devriez vous rapprocher de vos camarades au lieu de vous morfondre dans votre coin.

— Je suis là pour gagner des sous, pas pour me faire des amis.

— Ce n'est pas incompatible.

Le chef joignit les doigts sous le menton et considéra longuement son employé.

— Les gens ne sont pas mauvais, c'est leur condition de vie qui l'est. Je leur en voulais, moi aussi. Ce n'est plus le cas aujourd'hui. J'ai appris à faire la part des choses. Et j'en souffre encore. Parce que j'ai été injuste et égoïste…

Il alluma une cigarette, la porta à sa bouche. Ses doigts noueux tremblaient, ainsi qu'une de ses pommettes, qu'une cicatrice fendait en deux. Il raconta :

— Mon père vendait du charbon dans une minuscule boutique de la Casbah. Il me faisait travailler avec lui. Je lui en voulais pour mes mains noires de charbon alors que mes camarades les avaient noires d'encre. Chaque soir, on rentrait à la maison comme on sort d'une cheminée. On n'avait même pas un bout de savon pour se débarbouiller. Puis j'ai commencé à me rebeller, à refuser de retourner dans cette boutique de malheur. Mon père ne disait rien. Son silence m'exaspérait plus que tout. Je me mis à glander dans les tripots, à rentrer très tard, à fréquenter les voyous, à chaparder. Quand on venait se plaindre de mes agissements à la maison, mon père se confondait en excuses. Toujours sans rien me dire. Son mutisme me rendait dingue… Une nuit, tandis que je menaçais de foutre le feu à la maison, mon père a décidé de rompre le silence. Il m'a dit, d'une voix qui me hante encore : « Quand tu étais petit, je ne voyais que les joies que tu me prodiguais. Avec le temps, tes peines ont eu le dessus sur les miennes. Je te voyais mal tourner et je n'y pouvais rien. Aujourd'hui, je sais que tu vas mal finir, et là encore je n'y peux rien. C'est pour cette raison que je me tais lorsque tu t'en prends à moi. Je ne suis pas responsable de tes méfaits, mais je suis coupable de t'avoir donné la vie alors que je n'avais pas grand-chose à t'offrir. »

— Quel rapport avec mon attitude, monsieur ?

D'abord surpris par la discourtoisie d'Adem, le chef serra les dents, puis il dodelina de la tête, désappointé.

— Je voulais simplement m'entretenir avec vous au sujet de vos camarades.

— Je ne tiens pas à les fréquenter. Ça vous pose problème ?

— Pas forcément.

— Je peux disposer ?

— Bien sûr.

Adem sortit du bureau.

Il n'avait pas touché à son verre de thé.

11.

Après les canicules qui clouèrent les corbeaux au sol, les nuages se mirent à matelasser le ciel. Les paysans étaient soulagés, et les ouvriers contents ; on allait enfin pouvoir respirer à pleins poumons sans saigner du nez.

Le mois d'août n'avait pas fini de rendre les armes que déjà l'automne fourbissait les siennes. Bientôt, les averses seraient là, le chantier se transformerait en patinoire ; on aurait de la gadoue jusqu'aux mollets, on s'abriterait sous la bâche pour téter un mégot. Pour Adem, l'heure de restituer pelle et pioche avait sonné. Il était fatigué de n'avoir autour de lui que rocaille, remblais, fosses et poteaux ; de n'entendre que grincements de ferraille, crachotements de moteur défaillant et râles d'hommes exténués ; de ne déceler son reflet que sur les visages tannés ruisselant de sueur.

Le jour de paye arriva.

Les ouvriers avaient le sourire plus large qu'une baie. Leurs yeux pétillaient de ces belles choses qu'ils s'étaient promis de s'offrir.

Trônant derrière une table pliante, un énorme registre sous ses binocles de myope, le trésorier faisait l'appel. Les uns après les autres, les ouvriers répondaient « Présent ! » en claquant des talons à la manière des bidasses pour amuser la galerie, trempaient leur pouce dans une éponge imbibée d'encre, apposaient leur empreinte digitale à côté de leur nom et retournaient au travail en comptant fébrilement leur argent.

— C'est tout ? s'exclama Slim, vexé par les quelques billets que lui tendit le trésorier.

— Estime-toi heureux que je n'aie pas procédé à des amputations après les fumisteries que tu nous as causées, lui rappela le chef de chantier.

Arezki attendait son tour, le sourire d'une oreille à l'autre. Son visage rouge transpirait de tous ses pores. Avec le doigt, il essuya la sueur sur son front et la regarda s'égoutter au bout de son ongle avec l'émerveillement d'un enfant qui voit surgir un lapin du chapeau du magicien. Dès qu'on lui remit son salaire, Slim le lui confisqua d'une main autoritaire.

— J'vais vérifier si le compte est bon, prétexta-t-il.

— Tu crois qu'il manque des fafiots, cousin Slim ?

— C'est tous des voleurs, ces esclavagistes.

— Quand tu auras vérifié, tu me rendras mon fric ?

— On verra.

— Pourquoi pas tout de suite, cousin Slim ? Je veux garder mon argent sur moi, supplia Arezki.

— Tu saurais pas dans quelle poche tu l'as mis.

— S'il te plaît, Slim, laisse-moi garder mon argent sur moi. Je le compterai toutes les cinq minutes. Comme ça, si un billet manque, j'aurai juste à me souvenir de la fois précédente pour le retrouver.

— Plus tard, plus tard.

— Pourquoi pas maintenant ? Je t'en prie. Ça me ferait vachement plaisir. J'suis peut-être pas très futé, mais je suis débrouillard. C'est toi qui me l'as dit.

— Tu te noierais dans une rivière à sec, Arezki. Laisse-moi gérer.

Adem signa à côté de son nom. Le trésorier exigea qu'il apposât son empreinte.

— C'est le règlement.

Adem s'exécuta.

— Est-ce que le chauffeur de la fourgonnette peut me déposer au village le plus proche ?

— C'est moi, le chauffeur, dit le trésorier. En vérité, je n'ai pas le droit de transporter les employés le jour de solde, mais, vu le sacré boulot que vous vous êtes tapé, je suis prêt à faire une exception. Je dois retourner directement au siège de l'entreprise à Tiaret. Sans escale. Par mesure de sécurité. Si ça vous convient, je vous prends.

— D'accord pour Tiaret.

— Ça t'ennuierait de nous conduire, mon cousin et moi, jusqu'à la nationale ? demanda Slim d'un ton affable.

— Pourquoi pas ? accepta le trésorier.

Arezki fronça les sourcils, estomaqué :

— Qu'est-ce qu'on va fiche à *Lassional*, Slim ?

Slim saisit son cousin par le coude et l'éloigna des oreilles indiscrètes.

— La nationale, c'est pas une bourgade. C'est la grande route. C'est comme ça qu'on l'appelle, la grande route.

— Et on ira où, après, Slim ? Tu me fais peur avec tes plans.

— On ira à Alger.

Arezki s'affola.

— C'est pas ce que tu m'avais promis. Je t'en prie, Slim, je veux rentrer à Iboudraren.

— Et les costumes ?

— Y en a dans les boutiques.

— Et tu leur dirais quoi, aux envieux du village ? Que tu as acheté ton costume dans un bazar à Tiaret ?

— C'est quoi la différence ?

— Elle est de taille. Si tu dis que tu as acheté ton costume à Tiaret, personne ne demandera à le voir. Par contre, si tu dis que tu l'as acheté à Alger, tout le monde se mettra au garde-à-vous. Tu deviendras aussi important que si tu revenais des Amériques. Et Akli pourra se soûler avec son huile d'olive jusqu'à ce qu'il crève de jalousie.

Arezki défronça les sourcils, un sourire idiot sur les lèvres.

— Tu crois ?

Slim l'éloigna un peu plus, en jetant des regards méfiants sur Adem, le trésorier et le chef de chantier.

— Est-ce que je t'ai baratiné une seule fois, Arezki ?

— Non, mais tu dis toujours qu'on va faire une chose et on fait tout son contraire.

— C'est pour faire diversion, lui chuchota-t-il. Faut jamais révéler ses intentions si on tient à les mener au bout. C'est le prophète qui nous le recommande. Les jaloux ont l'œil aussi mauvais qu'un coup du sort.

Arezki ravala son sourire. Son front se plissa d'inquiétude.

— Ça fait des mois qu'on a des intentions, Slim.

— Tu as confiance en moi ou pas ?

Le géant se tritura les doigts, gêné mais têtu.

— Je veux épouser Taos avant qu'Akli la détourne. Je t'assure, Slim, j'en peux plus de courir à droite et à gauche en croyant aller de l'avant.

Slim le poussa encore quelques mètres plus loin, l'obligea à se baisser pour lui confier dans l'oreille :

— J'ai hâte de rentrer nourrir mes bêtes et sécher mes figues. Mais pas question de retourner à la maison, une main devant, une main derrière. Je veux rentrer sapé comme un nabab. Dans un costume acheté dans le plus chic magasin d'Alger. Si ça se trouve, je n'enlèverai même pas l'étiquette sur la veste, et je me coucherai avec.

Le géant recouvra aussitôt son sourire stupide.

— Et on nous appellera les « Algérois » ?

— Pourquoi pas ?

— Et j'aurai l'air d'un vrai Algérois ?

— Akli n'osera plus te croiser sur son chemin. Il se débinera comme un chat de gouttière qui voit arriver un lion. Tu épouseras Taos autant de fois que tu voudras, et tout le monde au village dira : « Arezki est parti avec une toile d'araignée dans les poches et il est revenu pour avoir tout pour lui. »

— Purée, Slim ! Quand tu me parles comme ça, j'ai envie de te suivre jusqu'en enfer.

— Mais on y est, cousin, on est en plein dedans.

Arezki s'engouffra à l'arrière de la fourgonnette, sans demander la permission à personne, se répandit sur la banquette et ferma les yeux et la bouche pour que l'ensemble de ses rêves demeure en lui.

La fourgonnette quitta le camp dès que le trésorier eut fini de ranger ses affaires. La piste était rude. Le véhicule n'arrêtait pas de tressauter sur les bosses et les crevasses, obligeant les passagers à s'agripper à leurs sièges. Sur la banquette arrière, les deux cousins s'entrechoquaient, tantôt en rigolant, tantôt en sacrant. Le trésorier conduisait n'importe comment, aussi maladroit qu'imperturbable. Adem aurait demandé à descendre sur-le-champ si Tiaret ne s'était pas trouvé à une soixantaine de kilomètres.

Slim et son cousin furent soulagés lorsqu'on atteignit la route bitumée. Ils sautèrent à terre, leur sac sur l'épaule.

— Tu devrais te trouver une bonne mule et reprendre ta charrette, lança Slim au chauffeur. La mécanique, c'est pas pour toi.

— On dit « merci », se contenta de rétorquer le trésorier.

— Y a pas de quoi. Avec le bordel que tu nous as foutu au ventre, on ne sait plus si on doit chier ou bien dégueuler.

Le trésorier enclencha la première dans un craquement épouvantable de la boîte de vitesses et redémarra.

Adem se tourna vers le rétroviseur extérieur pour observer les deux cousins. Ces derniers posèrent leur sac par terre et s'assirent sur une borne pour faire de l'auto-stop.

— Ils sont marrants, ces deux-là. On dirait Laurel et Hardy, version tragédie. Tu penses qu'ils vont s'en sortir ?

Adem ne répondit pas.

— Je pense qu'ils s'en sortiront, prophétisa le trésorier. Ce sont des simplets, et Dieu est aux côtés des innocents.

— Dieu n'est aux côtés de personne, maugréa Adem.

À Tiaret, le Temps semblait s'offrir une cure. Les gens vivaient pareillement à leurs ancêtres, dans la piété et l'honneur. Chez eux, lorsqu'on perdait la face, on perdait le reste avec, et à jamais. Beaucoup ne mangeaient pas à leur faim, certains traînaient des savates éculées, d'autres avaient oublié la saveur des bonnes choses, mais tous sans exception, fortunés et désargentés, gardiens du temple et veilleurs de nuit, avaient un nom qui ravivait, à sa seule évocation, mille saints patrons et mille épopées. Adem ne remarqua rien de cela en arrivant en ville. À peine éjecté de la fourgonnette, il se rua sur le premier barbier et eut honte de voir l'eau rougir dans l'évier pendant que le coiffeur rinçait ses cheveux pleins de terre.

— On dirait que vous sortez d'une tombe, observa le barbier.

Adem se fit raser complètement la tête. Il se rendit ensuite dans un bain maure où un *moutchou* le massa et le lava des oreilles aux orteils, réserva un lit pour la nuit et, laissant ses affaires chez le gérant du hammam, il s'offrit un repas gargantuesque dans une gargote sur la place. Lorsqu'il demanda l'addition, le caissier l'informa que c'était réglé. Adem regarda autour de lui. Il n'y avait que trois clients attablés sur la terrasse. Pas un visage ne lui était familier.

— Qui a payé mon repas ?

Le caissier écarta les bras.

— Une âme charitable.

— Je ne suis pas un mendiant.

— C'est l'usage, par ici. Lorsqu'un étranger se présente pour la première fois dans un café ou dans un restaurant, un anonyme lui paye ses consommations.

Adem porta la main à sa poche.

— Ce serait un affront, monsieur, le dissuada un client.

— Je n'ai rien demandé.

— On n'a pas besoin de le faire.

Adem comptait rester quelques jours à Tiaret, le temps de reprendre des forces, mais il n'y avait pas un endroit où il pouvait ouvrir son livre sans que l'on vienne le déranger. Des inconnus prenaient place à côté de lui sur le banc public, lui racontaient leur vie, voulaient savoir qui il était, ce qu'il cherchait. La nuit, au hammam, il y avait toujours quelqu'un pour l'empêcher de dormir. Un soir, ce fut le gérant en personne qui vint lui faire la conversation.

— Tu as des mains de rentier et une tête de lettré.

— Et alors ?

— Les gens de ton niveau ne passent pas leurs nuits dans des gîtes de fortune, parmi les blattes et les voyageurs fauchés.

— C'est écrit dans quel code de bonne conduite ?

Le gérant contracta les épaules.

— Ce n'est pas pour t'offenser. Mais je trouve dommage qu'un jeune homme comme toi erre dans la nature. Quand on est instruit, on a les arguments de ses défis et suffisamment de suite dans les idées pour se reprendre en main.

— Est-ce que j'ai l'air de sucer mon pouce pour que tu me tiennes un tel babillage attendrissant ?... Dis-moi, toi qui sembles lire dans les signes, de quoi ai-je vraiment l'air ?

Le gérant entrecroisa les doigts sous le menton, le regard fixe.

— Tu as l'air d'un type qui passe à côté de son histoire.

— Rien que ça ?

— Tu as combien ? Trente, trente-cinq ans ? C'est l'âge de tous les possibles. Tu es encore jeune pour en découdre et terrasser ton infortune, mon garçon.

— *Mon garçon ?* Ainsi, je suis *ton* garçon ? Ça se voit tant que ça que je touche le fond ?

— Ça crève les yeux. Les sentiers de chèvres ne mènent pas toujours à la zériba. Quand on est jeune, on croit avoir la vie devant soi. On ne fait pas attention au temps qui nous fausse compagnie en nous dépossédant chaque jour d'un bout de notre présence d'esprit. Puis, au détour d'une mauvaise passe, on constate qu'on a bougrement vieilli. En jetant un œil par-dessus l'épaule, on s'aperçoit que les rêves sont loin derrière nous. C'est alors que l'on mesure combien on s'est dépensé pour des prunes en négligeant l'essentiel.

— Et qu'y a-t-il d'essentiel en ce monde, monsieur le vieux de la vieille ?

— L'amour… Il n'est d'essentiel, en ce monde, que les moments de joie que l'on partage avec les gens qu'on aime.

— Les gens qu'on aime ? Ça existe donc ?

— Si tu n'en connais pas, il va te falloir les inventer, mon gars. J'ai été matelot, tirailleur, videur de tripot et maquereau ici et là. J'ai roulé ma bosse comme un dromadaire, raflé la mise mille fois, accroché mon étoile dans chaque ciel, confiant et persuadé que j'étais le maître du jeu. Au final, on se rend compte qu'on n'a pas coché la bonne case et qu'on a confondu le brouillon avec la copie. Mais c'est trop tard. La vie est un navire qui ne dispose pas de la marche arrière. Si on n'a pas fait le plein d'amour, c'est la cale sèche garantie au port des soupirs. Lorsqu'on échoue là où les voiles sont en berne, on s'en veut amèrement de n'avoir pas laissé grand-chose pour ses vieux jours.

— Je n'ai pas l'intention de vivre longtemps, rétorqua sèchement l'instituteur.

Au matin, Adem s'empressa de plier bagage.

Un charretier le transporta hors de la ville et l'abandonna sur un terrain où des cavaliers, drapés dans des burnous moirés, s'adonnaient à la fantasia. Une foule de spectateurs s'agglutinait le long de l'esplanade en terre battue. Aux coups de baroud, la clameur tonitruait et les bannières se mettaient à brasser l'air dans un déferlement de youyous. Il y avait des guitounes dressées partout et des hommes en train de rôtir à la broche des moutons entiers ; les enfants s'égosillaient en se pourchassant dans la poussière. Un peu à l'écart, dans un champ en jachère, un personnage ahurissant paradait, une perche à la main, un peloton de mioches en rangs serrés derrière lui. Il portait un grand chapeau multicolore, une cape en laine bardée d'amulettes et des clochettes sur sa bourriche. Adem reconnut l'étrange chanteur des bois qui parlait aux oiseaux et braillait à tue-tête la fameuse comptine « Alouette, gentille alouette ».

— Qu'est-ce qui se passe ? demanda Adem à un vieillard.

— On célèbre notre saint Sidi Okba. Viens, mon frère. Joins-toi à nous. Aujourd'hui, tous les cœurs sont ouverts comme les portes du ciel. Prie pour les enfants du Seigneur, pour tous les enfants sur terre, afin que les ennemis se réconcilient et que les veuves et les orphelins se découvrent des familles en chacun de nous.

Adem accepta volontiers de se joindre au méchoui, mangea de bon appétit ; il ne pria pour personne.

12.

Fiévreux, chavirant d'épuisement, Adem n'en pouvait plus d'escalader les collines, de dévaler les pentes, de vomir au pied des arbres. Il s'en voulait d'avoir repris la route par un jour exécrable, au ciel bas zébré d'éclairs que le tonnerre ébranlait d'un bout à l'autre.

Il songea à rebrousser chemin, mais le dernier hameau qu'il avait traversé se trouvait à une journée de marche. Il n'aurait pas la force de l'atteindre, avec le froid qui s'accentuait. Il se rabattit sur le premier abri à sa portée – un taudis dont il ne restait que deux murs décharnés livrés aux herbes sauvages et quelques tuiles en guise de toiture.

Il alluma un feu pour se réchauffer, sarcla le coin le moins exposé au vent, s'enroula dans une couverture et s'allongea pour dormir.

En rouvrant les yeux, il crut entrevoir une silhouette penchée sur lui. Il n'eut pas le temps de s'en assurer et sombra de nouveau dans l'abîme.

Une migraine lancinante le réveilla.

En sueur, enveloppé dans une couverture qui n'était pas la sienne, Adem grelottait, la bouche infecte, une horrible odeur dans le nez. Au-dessus de sa tête, la toiture du taudis tournoyait lentement. Un feu de bois crépitait à proximité. Adem crut halluciner en découvrant, accroupi devant un foyer de fortune, un petit homme en train de touiller dans une gamelle fumante.

— Mika ?...

Le petit homme pivota sur lui-même.

— Tiens, tu m'appelles par mon prénom maintenant ?

Adem tenta de se hisser sur un coude ; ses forces l'abandonnèrent et il s'effondra.

— Où suis-je ?

— Encore de ce monde... Apparemment, les mauvaises graines ont la peau dure... Je passais dans les parages. Il pleuvait des cordes. J'ai vu le gourbi en ruine. Et qui est-ce que je trouve à l'intérieur, malade comme un chien ? L'ami qui s'est débiné sans dire au revoir. Qu'est-ce qu'il t'a pris de me larguer de cette façon ? Je t'ai hébergé, nourri, soigné et hop ! à peine rétabli, monsieur prend ses cliques et ses claques et s'évanouit dans la nature.

— Quel jour sommes-nous ?

— Quelle importance pour un vagabond ? Tu es vivant, et c'est déjà énorme. Je n'ai pas donné cher de ta peau lorsque j'ai touché ton front brûlant de fièvre, il y a deux jours.

— Deux jours ?

— Tu délirais et tu ne sentais pas bon. Pour être franc, je m'étais dit que tu ne valais pas la peine que je m'occupe de toi, qu'il fallait te laisser crever de faim et de froid.

Il ajouta, en tisonnant le feu avec une hargne subite :

— On déprime rien qu'en te reluquant.

Adem s'aperçut qu'il était à moitié nu sous la couverture.

— Tu as fait sous toi, lui expliqua Mika. J'ai lavé le pantalon. Quant au caleçon grouillant de poux, il a crépité comme du bois sec quand je l'ai jeté au feu. Mais rassure-toi, tu n'as pas chopé la tuberculose, autrement il y aurait du sang dans tes crachats.

Mika retira la gamelle du feu, en versa le contenu dans un gobelet.

— Bois ça.

— Qu'est-ce que c'est ?

— Du bouillon, voyons. Tu es aveugle ou quoi ?

— J'ai la nausée.

— Tu as besoin de reprendre des forces. On ne peut pas rester ici. Il va probablement neiger.

— Je ne peux pas marcher.

— Tu es obligé, mon vieux. Ce froid ne me dit rien qui vaille. Si on ne trouve pas un abri avant les premiers flocons, on est fichus.

Adem ingurgita le bouillon avec dégoût. Chaque gorgée lui donna un haut-le-cœur. Il s'essuya la bouche sur la couverture et se rendormit.

Le jour s'était levé. Un ciel livide écrasait la campagne. Adem avait les tempes compressées. Il se mit sur son séant, extirpa de son sac un caleçon, un pantalon et un chandail en laine qu'il enfila en grelottant. Le vent, qui flûtait à travers les échancrures du taudis, était aussi glacial que le souffle de la mort.

Mika préparait une tisane.

— Il a un peu neigé pendant la nuit. Nous allons devoir trouver un meilleur refuge avant ce soir.

— Je me débrouillerai, dit Adem en ramassant ses affaires.

— Tu te débrouilleras comment ? Tu ne sais même pas où tu vas et tu es malade. Je connais une cabane de forestier abandonnée à une demi-journée d'ici. On y fera escale un jour ou deux, le temps que tu te rétablisses.

— Je n'ai besoin de personne.

Mika se frappa la cuisse avec le plat de sa main libre.

— Tu ne changeras donc jamais.

— Il n'y a pas de raison.

— Un peu d'humilité, putain.

— L'humilité ne consiste pas à s'écraser devant n'importe qui.

Mika en grimaça de dégoût.

— Quel genre d'énergumène es-tu ? Tu ne sais dire ni merci ni pardon. J'ai rencontré des meurtriers, des vauriens, des détrousseurs de cadavres, des violeurs d'enfants, aucun d'eux ne puait autant que toi. Ça fait trois jours que je me tiens à ton chevet. J'ai épuisé toute ma réserve de plantes médicinales pour te soigner. Je t'ai même torché et j'ai lavé ton froc plein de merde. Et tu n'es toujours pas reconnaissant.

Adem médita les reproches de son bienfaiteur, n'y perçut ni colère véritable ni haine, juste un immense chagrin. Il dit, conciliant :

— Ne le prends pas mal. J'ai seulement besoin d'être seul.

— On n'est jamais seul lorsqu'on est mal dans sa peau. Tu crois fuir ce qui te tracasse et tu ne fais que traquer ton ombre, monsieur SNP[1].

— Adem... Adem Naït-Gacem.

---

1. Sans nom patronymique.

Mika manqua de renverser la tisane, mi-incrédule mi-songeur :

— Tu en fais des progrès, dis donc. C'est ton vrai nom ?

— Je suis d'accord pour faire une trotte avec toi. Jusqu'à la cabane du forestier. Après, il va te falloir poursuivre ta route de ton côté.

Mika sourit.

Il venait de tout pardonner.

La montagne recouverte de neige renvoya Adem au musicien aveugle rencontré dans la gargote aux allures de taverne médiévale, à Blida. On se serait cru au beau milieu d'une mer asséchée, blanche de sel et d'absence.

Immenses oreillers éventrés, les nuages se vidaient de leurs flocons qui virevoltaient dans l'air avant de se poser au ralenti sur chaque chose.

Mika filait devant, comme si l'horizon l'aspirait.

Adem, lui, crapahutait derrière, ployé sous son paletot, les pieds et les mains gelés.

C'était beau, la campagne habillée de blanc. On aurait dit la promesse d'une page qu'on tourne, la chance de recouvrer une virginité. Mais Adem ne voyait que désolation blafarde, saignée à blanc. Il avait peur du silence couvant la neige, un silence si limpide que le temps semblait en suspens.

— J'ai beaucoup pensé à ce que tu me disais dans mon palais d'été, dit Mika, incapable de tenir sa langue. Tu sais ce qu'il te faut ? C'est un coin où te poser pour de bon, une femme et un boulot.

— C'est encore loin, cette foutue baraque ?

— Ne change pas de disque, Adem. Je suis sérieux. Regarde ce que tu es en train de devenir : un clochard. Tu schlingues, tu as une barbe de dément, tu es malade comme un vieux chien et tu portes la détresse du monde sur tes épaules.

— Mika, s'il te plaît…

Adem jeta son sac par terre et s'assit dessus.

— Je suis épuisé. Arrêtons-nous un peu.

Au loin, des jappements se firent entendre.

— Il doit y avoir une ferme dans les parages, supposa Adem.

— Ce sont des chacals.

— Ça ne marche pas, cette fois.

— Tu es un citadin, Adem. Tu ne ferais pas la différence entre une ogresse en train de se moucher et une vache qui pète.

Mika sortit de sa poche une racine et mordit dedans avec voracité. Il dit, la bouche cabossée :

— Tu as été sur un chantier à planter des poteaux électriques, pas vrai ?

Adem sursauta.

— Ne fais pas cette tête, le rassura Mika. J'ai rencontré deux cousins déjantés, il y a quelques semaines. Un Goliath bête comme ses pieds et un gringalet instable. Ils m'ont parlé d'un type bizarre qui notait tout dans son cahier en snobant son monde alors qu'il était le plus à plaindre d'entre tous les ouvriers. Je m'étais dit que ça ne pouvait être que toi.

Adem ne répondit pas.

— J'ai failli décrocher un job, poursuivit Mika… Un boucher, qui avait une guenon en guise d'animal de compagnie, m'avait proposé d'être son berger. Il habitait dans une roulotte de gitan à l'écart du douar. Je me suis rendu chez lui pour négocier ma rétribution. J'ai frappé à sa porte. Pas de réponse. J'ai fait le tour de la roulotte, trouvé un reste de charrette derrière, je suis monté dessus pour jeter un œil à l'intérieur de la roulotte. Et qu'est-ce que je vois ? Le boucher gentiment assoupi dans son fauteuil. J'ai frappé sur le carreau pour attirer son attention. Il n'a pas réagi. J'ai pensé qu'il était soûl et je m'apprêtais à m'en aller quand j'ai vu bouger quelque chose près du fauteuil. C'était la guenon. Elle avait plein de sang sur la figure et sur le corps et elle tenait un couteau. J'ai failli m'évanouir sous le choc.

— …

— Tu m'écoutes ?

— …

— La guenon venait de saigner le boucher. Au village, on ne parlait que de ça. Il paraît qu'à force de voir son maître égorger les moutons, la guenon…

— Tu n'as pas d'histoires moins sinistres à raconter ?

— J'en connais un tas, mais c'est d'un ennui…

Mika cracha dans la neige une énorme flaque brunâtre, s'essuya la bouche du revers de la main.

— Tu notes quoi dans ton cahier ?

— …

— Je t'ai vu griffonner des trucs quand je t'hébergeais dans mon palais d'été. Tu ne serais pas un peu poète ?

— …

— Non, tu ne peux pas être un poète. Tu as trop de ténèbres dans les yeux. Un poète, c'est l'enfant des lumières. Son esprit est un soleil. Il sait dire les choses qui éveillent aux éclaircies de ce monde. Or, tu es aussi déprimant qu'une faillite.

Adem ramassa son sac et se remit debout.

— Tes âneries m'épuisent plus que la marche, Mika. Reprenons la route, s'il te plaît.

— Excellente idée.

Au bout de quelques centaines de mètres, Adem commença à traîner derrière. Mika ralentit son allure jusqu'à ce que l'instituteur le rattrape.

— Tu as toujours ton cahier sur toi ?

— S'il te plaît, Mika. Je n'ai plus de souffle.

— Il faut parler pour tromper la fatigue. Même quand je suis seul, je parle. Se taire est la plus sournoise façon de se faire violence… Alors, ce cahier ? Journal intime ou bouquin ?

Adem se contenta de dodeliner de la tête en signe de lassitude.

— Les sœurs m'ont appris à lire et à écrire, reprit Mika. Je ne faisais pas de fautes en dictée. Et je ne lisais pas que la Bible. J'ai dévoré les œuvres de Martin Luther, de Paul Claudel, de Ronald Knox, y compris quelques-uns de ses romans policiers. J'avais écrit une petite nouvelle que sœur Thérèse avait beaucoup appréciée. Elle disait que c'est écrire, et non pas rire, qui est le propre de l'homme, que nous avons tous un talent caché, sauf qu'il y a ceux qui en sont conscients, et d'autres pas… Je me remettrai peut-être à l'écriture, un jour. Un écrivain n'a pas besoin d'un corps d'athlète, son cerveau suffit, et le mien tourne au quart de tour. J'accoucherais volontiers d'un bouquin où seraient recensées les réponses aux questions que l'humanité se pose. Et alors, personne ne sera obligé de regarder par terre pour me voir. On me regardera en face, droit dans les yeux, et on me déclarera que je suis un génie.

Le jour commençait à décliner lorsqu'ils aperçurent la cabane forestière sur une crête. La cheminée fumait.

— C'est ça, ta baraque abandonnée ? s'écria Adem, un genou à terre.

— Elle l'était, la dernière fois que je suis passé par là.

Un homme en treillis débraillé surgit des broussailles en bouclant son ceinturon. Il ramassa une poignée de neige, la frotta entre ses mains, un peu gêné.

— C'est un vent béni qui vous a conduits jusqu'ici, lança-t-il en lissant sa moustache de goumier. Soyez les bienvenus, mes frères. Je suis le garde forestier, et ma guérite est ouverte à tous. Je suppose que vous cherchez un endroit où vous reposer. Eh bien, vous y êtes. Il me tardait d'avoir de la visite. Je commençais à perdre la boule à force de soliloquer.

— Tu vois ? souffla Mika à l'instituteur. On a tous besoin les uns des autres.

Le forestier montra la cabane d'un geste charitable.

— Je vous en prie, entrez. J'ai un ragoût de lapin sur le feu et un poêle qui carbure à plein régime.

Mika se précipita à l'intérieur de la cabane, se débarrassa de son sac, occupa une paillasse face au poêle et commença à se déchausser. Adem resta debout dans l'embrasure à se demander s'il était prudent de s'aventurer dans une tanière qui pourrait se refermer sur lui.

— Qu'est-ce que tu attends ? lui lança Mika. Viens te détendre. Tu es sur le point de tomber raide mort.

— Je t'en prie, insista le forestier. Ça fait des semaines que personne n'est passé par là. Je suis très content d'avoir un peu de compagnie. Avant, des chasseurs de trésor me rendaient visite. Puis, plus personne.

— Des chasseurs de trésor ? s'étonna Mika.

— Oui, des fouille-charniers. Ils pensaient trouver des butins de guerre que les maquisards auraient cachés par ici.

— Ils ont trouvé quelque chose ?

— Ce ne sont pas des gens à exhiber leurs trophées. Il suffit que l'un d'eux crie à l'or pour que la ruée soulève les masses populaires. Mais, depuis quelque temps, je ne vois que les chacals et les sangliers dans le secteur. Le jour, c'est le calme plat. La nuit, j'entends geindre les revenants.

— Les quoi ?

— C'est pas pour vous effrayer. Les revenants sont partout, tapis dans le creux des arbres. Dès la tombée de la nuit, ils sortent identifier leurs ossements parmi les pierres et les racines. Parfois, ils viennent gratter à ma porte. Je regarde par les interstices et je vois leurs silhouettes fumantes flotter dans le noir. Je prends peur et ne leur ouvre pas.

— Qu'est-ce que tu racontes ? s'écria Mika. Je vis dans les maquis depuis des années, je n'ai jamais croisé de fantômes.

— Les miens, ils sont tout le temps dans les parages… J'avais hébergé un chasseur de trésor, autrefois. Lui non plus ne croyait pas aux revenants. Un soir, il est sorti faire ses besoins. Il est rentré en courant, pâle comme la lune, et il s'est caché sous la couverture jusqu'au matin. Au lever du jour, il n'était plus là.

La nuit tomba comme un couperet.

Le crépitement du poêle et la lumière anémique de la lanterne conféraient à la tiédeur ambiante une sorte d'apaisement. Enserré dans son paletot, Adem somnolait déjà, tassé de fatigue. Mika nettoyait les ongles de ses orteils avec la pointe de son coutelas.

— Je manque de sel, dit le forestier en déversant le ragoût de lapin dans trois assiettes en émail. Pour compenser, j'ai mis un tas d'épices. J'espère que personne, ici, ne souffre d'hémorroïdes.

Mika et Adem se jetèrent sur le ragoût comme s'ils jeûnaient depuis des semaines. Leur voracité fut telle que le forestier mit du temps avant de se joindre à eux.

Après le dîner, le forestier sortit un petit jerrican en fer de sous le lit de camp et le posa sur le poêle.

— Du vin rouge bien de chez nous, annonça-t-il. Un imam m'a certifié que sa consommation est licite lorsqu'on le fait chauffer pour le débarrasser de l'alcool.

— On s'en contrefiche de ton imam. Y a pas mieux qu'une bonne cuite pour se restituer à soi-même, lança Mika en décochant un œil chargé de sous-entendus à l'instituteur.

Le vin était infect, mais il ne tarda pas à faire de l'effet. Le forestier se mit à parler de tout et de rien. Il sautait d'une anecdote à un fait divers, tantôt hilare, tantôt consterné. Adem ne lui prêtait qu'une oreille distraite, pressé de se coucher. Mika écoutait avec attention. Il avait appris à connaître cette espèce d'ermites forcés que la solitude rend bavards. Quand ils n'ont personne à qui s'adresser, ils se parlent à eux-mêmes, et lorsque quelqu'un consent à les écouter, ils déverrouillent la boîte de Pandore et plus rien ne les fait taire. Quelque chose lui disait que le forestier surjouait, qu'il brouillait les pistes qui menaient à son malheur, que sa fébrilité, ses rires discutables n'étaient que des diversions pour préserver ce qu'il tenait à garder pour lui – sauf que, visiblement, le forestier n'était pas le genre à taire quoi que ce soit. Il n'arrêtait pas de se gratter la tempe, de bégayer au beau milieu d'un récit sans finir ses phrases, de se racler la gorge, de détourner le regard. Mika en était convaincu : le forestier n'avait pas la conscience tranquille.

— La dernière fois que je suis passé par là, il n'y avait personne...

— Il m'arrive de m'absenter, répondit le forestier. C'est normal. On a tous besoin de rencontrer des gens, sinon, on deviendrait fou à lier. Quand la solitude commence à me faire faire des trucs bizarres, je descends en ville voir les putes, me soûler et échanger quelques coups de boule avec les mines qui ne me reviennent pas.

— Tu aimes la bagarre ?

— Ça sert à se défouler. La guerre a laissé des séquelles. Pourtant, je ne suis pas méchant. Mais les gens sont envahissants. Ils se mêlent de ce qui ne les regarde pas. Et moi, je déteste qu'on me passe à la loupe.

— Tu n'as qu'à rester dans ta cabane, lui dit Adem.

— Faut bien retourner parmi les vivants de temps en temps. Y a que les morts qui n'ont besoin de voir personne. La solitude abîme le mental. Être constamment avec soi-même, c'est pas une sinécure.

— Ça doit être très dur de ruminer ses secrets, supposa Mika.

Le forestier avala d'une traite le contenu de son gobelet et se versa de nouveau à boire. Ses oreilles rosies trahissaient l'ébriété en train de prendre possession de son esprit.

— Tu as été fellaga ? lui demanda Mika.

Le forestier ne répondit pas.

Mika se versa à boire à son tour.

— La guerre est finie. Tu peux parler. On est entre rescapés.

Le forestier gonfla les joues. Il dit :

— Une guerre n'est jamais finie. Quand les armes se taisent, leurs échos continuent de retentir dans les esprits. Personne n'échappe à la guerre. Qui ne la fait pas la subit.

— Tu as l'air d'en souffrir encore. Que s'est-il passé ?

— Des choses dégueulasses.

— Évacue-les. Tu n'as rien à craindre. Nous avons tous des trucs moches à raconter pour nous en débarrasser.

Le front plissé, le regard par terre, le forestier soupira, renifla, toussota encore et encore. La voix soudain flageolante, tandis qu'il se triturait les mains noires de gerçures, il raconta :

— Quand la révolution a éclaté, tous les hommes du village voulaient rejoindre les moudjahidine. Le conseil des Anciens a décidé de ne pas laisser les femmes et les enfants sans protection. Onze pères de famille et deux célibataires furent choisis pour rester au village. Les deux célibataires, c'étaient mon cousin Antar, parce qu'il était pied-bot, et moi, à cause de ma petite santé. Nous avions dix-neuf ans. Les nouvelles qui nous parvenaient des maquis nous atomisaient. Untel est mort les armes à la main, tel neveu a abattu un officier ennemi, tel oncle a dynamité un pont et fait dérailler un convoi. Chaque fait d'armes nous dévalorisait, mon cousin et moi. Un jour, c'était la fin de l'automne, mon cousin a eu une idée. Il y avait un couvent de l'autre côté de la colline. Il m'a dit qu'on allait tout de même pas laisser la guerre nous passer sous le nez. Il a pris son fusil de chasse, et moi, un hachoir que j'ai enveloppé dans un chiffon et glissé sous ma ceinture pour faire croire à un pistolet, et nous sommes allés frapper à la porte du couvent.

Il était environ minuit. Les nonnes nous ont ouvert. Nous nous sommes présentés comme étant des émissaires chargés par l'ALN de sommer les religieuses de quitter le couvent dans les quarante-huit heures.

— Quel couvent ? fit Mika.

— Il n'y en avait qu'un seul sur les terres des Ouled Hammad.

Le visage de Mika se referma comme une huître.

— Et alors ?

— Et alors, quoi ?

— Ben, que s'est-il passé au couvent ?

— Alors, reprit le forestier, nous avons attendu deux jours, mon cousin et moi, avant de retourner chez les religieuses. Nous nous sommes d'abord assurés qu'aucun soldat ne rôdait dans les parages. Les bonnes sœurs auraient pu alerter l'armée. Il n'y avait pas de soldats en vue. Nous avons attendu la nuit pour vérifier si nos ordres avaient été exécutés. Sur les huit nonnes qui vivaient au couvent, seules deux étaient restées. Elles nous ont dit que nous n'étions pas des moudjahidine et que si c'était le vol qui nous intéressait, nous n'avions qu'à nous servir. Mon cousin est devenu fou de rage. « On est des moudjahidine », qu'il hurlait à la figure des deux religieuses. C'est peut-être parce qu'elles demeuraient parfaitement imperturbables que mon cousin s'était foré un boulon. Ah, pour ça, il avait carrément disjoncté, cousin Antar. Je ne le reconnaissais plus.

Le forestier se tut brusquement.

— Et ?... lui fit Mika.

— Et quoi ?

— Que s'est-il passé ensuite ?

— Je n'aime pas revenir là-dessus.

— Tu as commencé, tu dois finir ton histoire.

— Je préfère pas. C'est trop dur.

— Vous les avez tuées ?

Un silence effarant comprima la cabane.

— Avoue-le. Vous avez tué les deux religieuses.

Le forestier baissa la tête. Son être parut s'effondrer lorsqu'il laissa échapper, la gorge serrée :

— On ne savait pas ce qu'on faisait.

Adem ne comprit pas tout de suite lorsqu'il vit Mika se décomprimer tel un ressort et du sang gicler de la joue du forestier. En une fraction de seconde, le silence de la nuit, que berçait le grésillement du poêle, fut ébranlé par des hurlements et des insultes. Le couteau de Mika fendit plusieurs fois l'air, atteignant l'épaule, puis la tempe du forestier qui ne dut son salut qu'à la maladresse de son agresseur qu'il repoussa avec ses pieds avant de s'enfuir dehors. On l'entendit brailler : « Il veut me buter, il veut me charcuter… » Mika resta un instant renversé contre le mur, couteau au poing. Son visage n'était que fiel et rage. Lorsque les hurlements s'éteignirent dans la nuit, il ramassa son sac et, sans un mot ni un regard pour l'instituteur, il sortit de la cabane.

Stupéfié, littéralement horrifié par la vue du sang, Adem n'eut pas le courage de s'aventurer dans le noir. Figé sur le pas de la porte, tenant à deux mains son crâne pour l'empêcher d'éclater, il ne reconnut pas sa voix lorsqu'il cria à Mika :

— Tu n'aurais pas dû le poignarder.

— Je l'ai fait, un point, c'est tout, maronna Mika en s'éloignant dans la neige.

Au bout de quelques pas, la nuit l'absorba comme une éponge.

— Où vas-tu comme ça ? hurla Adem.

— Assécher la mer, répondit Mika du fond de l'obscurité.

II

13.

Enfant, Ramdane Bara n'avait pas grand-chose à se mettre sur le corps, hormis une abaya grossièrement rafistolée et des savates en chanvre qui lui tailladaient les pieds. Sa famille appartenait au caïd ; son père était le berger, sa mère la domestique et sa fratrie – cinq garçons et quatre filles – trimait dans les champs et rentrait à la tombée de la nuit, poussiéreuse et déshydratée. À la maison, on dormait sur des nattes en alfa et on portait les mêmes guenilles hiver comme été.

À l'époque, Ramdane était persuadé que, hormis les rejetons du caïd, tous les enfants de la terre étaient logés à la même enseigne. Il avait un chiot aussi beau et espiègle qu'un louveteau et cela suffisait à son bonheur. Le matin, il l'emmenait dans les bois faire un pied de nez aux peines d'ici-bas ; la nuit, lorsqu'il l'entendait japper dans le noir, il fermait les yeux sur des rêves paisibles et aucune fausse note ne chahutait le souffle tranquille de son sommeil.

La petite vie de Ramdane s'égouttait ainsi jusqu'au jour où le fils du caïd, un garnement gâté comme le mauvais temps, vint « réquisitionner » l'animal. Ramdane refusa de le lui remettre.

Il fut jeté à terre et roué de coups de cravache. En se relevant, la figure zébrée, Ramdane ne put que regarder s'éloigner l'héritier du caïd traînant fermement le chiot au bout d'une corde. Ramdane n'avait ni pleuré ni hurlé, ce jour-là. Il s'était emparé d'une branche et avait dévasté tous les nids d'oiseaux sur son chemin.

Parce qu'il n'avait pas de protecteur capable de lui restituer le chiot qu'on lui avait confisqué, Ramdane fugua à onze ans.

Grâce à un instituteur arabe, il réussit à intégrer l'école et jura sur la tête des sept saints patrons qu'il ne passerait pas son existence à veiller sur des biques efflanquées sous un soleil de plomb en flûtant dans un bout de roseau pour faire croire qu'il était heureux.

Lorsque la guerre de Libération se mit à embraser la campagne, il vola un fusil de chasse et rejoignit le maquis. Il avait vingt et un ans.

Orateur tonitruant, il gravit les échelons sans tirer une seule balle et parvint, au lendemain de l'Indépendance, à se faire attribuer la haute fonction de commissaire politique.

La jonction de l'enfant miséreux dépossédé de son chiot et de l'homme du pouvoir fit de lui un ogre insatiable. Ramdane ne se refusa rien : il rêva de l'adolescente d'un riche négociant de Nedroma et obtint sa main en forçant celle du père, s'appropria la villa d'une veuve qu'il délogea *manu militari* sous prétexte que son mari collaborait avec l'administration coloniale et s'adjugea, dans la foulée, deux caves viticoles à Rio Salado, une station de lavage à Aïn Témouchent et un débit de boissons à Henaya.

Ramdane Bara ne s'appliquait qu'une règle : s'emparer de tout ce qui était à prendre.

En cette fin de janvier 1965, tandis que la Peugeot 203 noire officielle tressautait sur la piste, le commissaire politique Ramdane Bara, trente et un ans, le costume taillé sur mesure et les yeux embusqués derrière des lunettes de soleil, conduisait en souriant, une main sur le volant, l'autre sur le genou de son épouse. Cette dernière, jolie comme ses dix-huit printemps, prenait son mal en patience. Son mari lui avait parlé d'une « belle surprise », et bien qu'elle détestât la campagne et ses pistes crevassées, elle était curieuse de savoir de quoi il s'agissait.

— C'est encore loin ? gémit-elle.

Ramdane lui tapa sur la cuisse.

— On y est presque.

— J'ai les os broyés.

— Je t'avais dit de mettre des coussins.

— Je n'ai pas cinq ans.

— Alors conduis-toi en adulte, s'énerva Ramdane. Une voiture, ce n'est pas un tapis volant. C'est déjà une chance qu'on ait parcouru la moitié du chemin sur du bitume.

Pendant qu'il s'emportait contre sa femme, Ramdane ne vit pas un vagabond sortir des bois et n'eut pas le temps de l'éviter.

Heurté par l'aile du véhicule, le vagabond dégringola dans le fossé.

Ramdane poursuivit sa route, imperturbable.

— Tu ne t'arrêtes pas ? s'offusqua son épouse.

— Je l'ai à peine touché.

— Oui, mais il est tombé dans le trou. Il s'est peut-être brisé le cou sur un rocher.

— Mais non, ma chérie. Cette espèce est increvable. Tu lui couperais une patte qu'elle repousserait comme la queue du lézard.

La jeune femme se pencha par-dessus la portière. Elle vit le vagabond tenter de se relever en se tenant le genou.

— Il n'est que blessé.

— Qu'est-ce que je viens de te dire ? Les mauvaises graines ne meurent jamais.

Adem s'accrocha à une racine pour se remettre debout. Sa jambe refusa de se plier. En retroussant son pantalon, il constata que son genou saignait. La voiture qui venait de le renverser remonta tranquillement la côte et disparut derrière une rangée d'arbustes.

Au détour d'une colline qu'enfaîtait le mausolée d'un marabout, la plaine déploya ses vergers gorgés de sève féconde. Ramdane ôta ses lunettes. Toutes ces terres irriguées de sang et de larmes lui inspiraient un sentiment de plénitude incommensurable. Il rangea la voiture sur le bas-côté et rêva d'un royaume où il serait seigneur et sentinelle à la fois.

— Ferme les yeux, dit-il à sa femme lorsqu'ils arrivèrent devant un muret de pierres jalonné de ficus.

L'épouse obéit, sans enthousiasme.

Ramdane roula le long d'un ruisseau en évitant les fondrières.

— Rouvre-les, maintenant.

L'épouse obéit. Devant elle, il y avait une ferme qui paraissait désaffectée avec, à une trentaine de mètres sur la droite, une bicoque aux volets clos ; sur la gauche, une étable ouverte aux quatre vents sans une bête à l'intérieur. Hormis un hameau au loin, il n'y avait pas âme qui vive.

— Où est mon cadeau ?

— Juste devant toi, mon amour.

L'épouse bondit sur son siège, estomaquée :

— Tu veux parler de cette bâtisse hideuse ?

— C'est *notre* ferme.

L'épouse déglutit.

— Tu comptes m'installer dans ce coin perdu ?

— Pas à plein temps. Ce sera notre refuge pour nous défaire des tracasseries de la ville. Mes hautes fonctions de *mouhafed*[1] ne sont pas de tout repos. J'aurai besoin de me ressourcer par moments.

— Je mourrai d'ennui dans ce trou perdu, Ramdane. Tu me vois donner à manger aux poules et traire les chèvres ? J'ai été élevée dans de la soie, je te rappelle.

— Et toi, tu me vois avec des bottes en caoutchouc patauger dans le bourbier ?

— Dans ce cas, qu'est-ce qu'on fabrique ici ?

— J'ai toujours rêvé de m'offrir une ferme. Une belle ferme au milieu d'une prairie, avec une forêt d'arbres fruitiers et un cheptel inépuisable. (Il saisit les poignets de son épouse, les plaqua contre sa poitrine.) Une ferme qui soit à moi, rien qu'à moi.

— Tu me fais mal.

1. Commissaire politique.

— On y viendra les jours fériés nous offrir un superbe méchoui et contempler les étoiles du soir en écoutant de la musique. Si tu as besoin de compagnie, on invitera des amis parmi les autorités locales pour leur en mettre plein la vue.

L'épouse récupéra ses petites mains blanches et les posa délicatement dans le creux de sa jupe.

— Tu comptes l'entretenir comment ?

— J'embaucherai un fermier qui s'occupera des bêtes et des vergers. À la saison des cueillettes, je ferai venir des détenus. Comme ça, on aura une main-d'œuvre gratis… Tu es déçue ?

— Ben, un peu quand même. Quand tu m'as parlé d'une belle surprise, je m'attendais à une voiture. Tu avais promis de m'en acheter une.

— Si Dieu le veut, je t'en achèterai deux, une pour tes courses et une pour rendre jalouses toutes les femmes.

L'épouse se massa les poignets, désappointée. En levant de nouveau les yeux sur la bâtisse, elle crut apercevoir une silhouette à une fenêtre.

— Il y a quelqu'un.

— Des fantômes qui seront conjurés bientôt.

— En plus, elle est hantée !

Ramdane cogna sur le tableau de bord.

— Quand vas-tu apprendre à ne pas prendre ce que l'on te dit au pied de la lettre, bon sang ? Essaye de faire travailler tes neurones de temps en temps. Est-ce trop te demander ?

— Pourquoi tu me cries dessus, Ramdane ? C'est toi qui as parlé de fantômes. Chaque fois que je te prends à tes propres mots, tu te mets à m'en vouloir. Tu me fais peur, à la fin. La prochaine fois, je me tairai pour de bon.

— Tu n'es jamais contente. Je t'offre une ferme, et toi, tu fais la fine bouche. Tu sais ce qu'il représente, ce domaine ? Une fortune. *Ta* fortune, espèce d'écervelée. Il n'y a pas plus fiable investissement que la terre et la pierre, Karima. Combien de fois faut-il te le répéter pour te le faire rentrer dans le crâne ?

L'épouse se mit à scruter ses ongles nacrés. Elle dit, d'une petite voix :

— Ne me crie pas dessus. Ça m'angoisse.

Ramdane détestait cette voix apeurée qui trahissait le sanglot en gestation et qui l'effarait à l'idée d'avoir épousé une gamine immature et condamnée à le demeurer, lui qui espérait avoir déniché la perle rare en mesure de l'enorgueillir devant les nababs de la nation.

Il soupira.

— Les fantômes n'existent pas, ma chérie. C'est juste une façon de parler. Il s'agit d'un handicapé et de sa chipie de femme qui refusent de débarrasser le plancher.

— Je ne pouvais pas deviner ce que tu entendais par fantômes, protesta l'épouse. Je ne suis pas dans ta tête.

Derrière la fenêtre, une carabine à la main, Hadda observait la Peugeot 203 noire qui s'était arrêtée dans la cour de la ferme, au grand dam de deux chiens déchaînés.

— Range ce fusil, la somma Mekki, son mari, rivé à sa chaise roulante.

— Je jure de l'abattre s'il franchit le seuil de notre maison.

— Pour finir devant le peloton d'exécution ? C'est le représentant local du Parti. Hausser le ton devant lui passerait pour un sacrilège.

— Je croyais la tyrannie vaincue.

— Elle a seulement changé de visage. S'il te plaît, remets ce fusil à sa place. Ce tyran ne descendra pas de voiture. Ses souliers sont trop précieux pour qu'il les traîne dans la boue.

La Peugeot fit le tour de la propriété, ralentit devant l'étable avant de rejoindre la piste qui menait au hameau embrumé, de l'autre côté des vergers, les deux chiens à ses trousses.

— Tu vois ? dit Mekki. Il n'est pas descendu de voiture.

Issa, le frère cadet du fermier, s'essuya la figure dans un pan de son turban. Chaque fois qu'il était question du *mouhafed*, ses tripes s'enchevêtraient comme une colonie de serpents enfermée dans une jarre.

— Il ne nous lâchera donc jamais.

Hadda lui tendit un verre d'eau. Issa le refusa.

— C'est le sang de ce fumier que je voudrais boire, maugréa-t-il.

— Je l'aurais abattu comme un chien s'il avait franchi le seuil de la maison, dit Hadda.

— Est-ce qu'il a dit quelque chose ?

— Il n'est pas descendu de voiture, répondit Mekki, tassé dans sa chaise d'infirme. Il a fait le tour de la propriété et il est parti. J'ai eu un malaise après son départ.

Issa frappa dans ses mains.

— Qu'a-t-on fait au bon Dieu pour qu'Il nous mette cette teigne sur le dos ?

— Dieu est étranger à la vilenie des hommes, Issa, dit Hadda. S'il ne bouge le petit doigt pour personne, c'est pour que nous apprenions à régler nos problèmes nous-mêmes.

— Hadda, s'il te plaît, la supplia son mari.

— Quoi, « s'il te plaît » ? On va rester là où nous apitoyer sur nous-mêmes pendant qu'il se prépare à nous jeter à la rue ? Cette ferme est tout ce que nous possédons. C'est notre maison, notre patrie, notre gagne-pain.

— Calme-toi, la pria Issa. On n'en est pas encore là.

Hadda crispa les mâchoires et les poings et sortit dans la cour.

Issa la vit, à travers la fenêtre, se ruer sur la pompe à eau de l'abreuvoir et s'acharner sur le levier comme si elle cherchait à le déboîter.

— Tu lui concèdes trop de marge, Mekki, reprocha-t-il à son frère. Une femme ne doit pas se mêler des affaires des hommes.

— Je crains qu'elle soit la seule à refuser de baisser les bras.

— On n'a pas encore déposé les armes.

— Mais tu l'envisages.

— Ce n'est pas vrai. J'ai frappé à toutes les portes. Tout le monde compatit, mais personne ne tient à se mettre dans le collimateur du *mouhafed*. J'ai été voir l'imam, à propos de la lettre. Il a dit qu'il nous faut nous en remettre au Seigneur.

Mekki s'agita violemment dans sa chaise.

— Qu'est-ce que tu racontes, Issa ? Tu m'as assuré qu'il écrirait la lettre.

— Il a changé d'avis.

— Et Sy Hafid ?

— Selon lui, son statut ne le lui permet pas. Il appelle ça un « droit de réserve ».

— Il peut très bien charger un de ses secrétaires de le faire à sa place.

— Un fonctionnaire de l'État n'attaque pas un autre fonctionnaire de l'État, encore moins quand il s'agit de son supérieur hiérarchique. Il m'a aussi laissé entendre que le *mouhafed* a placé dans les administrations des pions qui lui rapportent ce qui se raconte et se trame dans son dos. On est dans l'impasse, mon frère. J'ai été solliciter les écrivains publics de mon village et des villages alentour. Dès que je leur parle du commissaire politique, ils pâlissent comme l'écume et se mettent à sucer du sel. Ce despote terrorise les grands et les petits.

Mekki se mit à cogner sur l'accoudoir de sa chaise, de plus en plus fort, pareil à un piston qui s'emballe.

— Il faut trouver quelqu'un pour la lettre, haleta-t-il. Il faut le trouver, il faut le trouver, il faut le trouver.

— Où le trouver, mon frère ?

Mekki s'agitait anormalement. Ses doigts blanchirent aux jointures quand il s'agrippa à l'accoudoir.

— Qu'est-ce que tu as, Mekki ? Tu es tout bleu. Hé ! Mekki…

Mekki était en train de suffoquer, les yeux révulsés. Sa pomme d'Adam, qu'il avait proéminente, s'affola dans son cou tandis qu'une bave mousseuse se mit à dégouliner sur son menton.

Pris de panique, Issa appela Hadda à la rescousse.

On mit Mekki au lit.

Issa frappa dans ses mains, désorienté.

— J'ai cru qu'il allait claquer sur place.

— Et encore, tu n'as rien vu, soupira Hadda. Depuis que ce satané commissaire a mis les pieds chez nous, ton frère se meurt de trouille. Il ne dort que d'un œil et il est trop faible pour se permettre d'être en colère.

— Est-ce qu'il suit son traitement comme il faut ?

— Pas toujours. Quand il se sent un peu mieux, il renonce à prendre ses médicaments. Lorsque j'insiste, il feint d'avaler les pilules qu'il recrache dès que j'ai le dos tourné.

Issa considéra avec chagrin ce qu'il restait du corps de son frère – une tête ascétique aux pommettes saillantes, deux yeux retranchés au fond de leurs orbites, une bouche olivâtre, des bras décharnés serrant de près un torse malingre, puis les horribles moignons qui pendouillaient sous la ceinture, ruines repoussantes de si belles jambes musclées aux mollets durs comme la pierre. Chaque fois qu'il pensait aux années d'avant l'accident, Issa avait envie d'éclater en sanglots. Il revoyait son frère courir dans les champs, enjamber les buissons, grimper aux arbres, aussi leste qu'un chat. C'était injuste. Issa en voulait aux marabouts qui ne savaient ni veiller sur les honnêtes gens ni sévir contre les tyrans.

Hadda couvrit son époux avec un drap, lui rajusta l'oreiller sous la tête.

— Madame Botev n'est pas passée le voir ?

— Madame Botev n'a plus remis les pieds dans la région depuis des semaines. Les Ouled Lahcène l'ont chassée.

— Pourquoi ?

— Comment veux-tu que je le sache ? Je suis recluse dans cette maison jour et nuit.

Issa leva une main pour la prier de se calmer.

— Je vais demander au guérisseur de notre village de passer…

— Trouve-nous plutôt quelqu'un pour la lettre. Ton frère s'en porterait beaucoup mieux.

— Je le trouverai, promit Issa. Il faut que je rentre chez moi avant la tombée de la nuit. Je reviendrai dans trois jours. Tu as besoin de quelque chose ?

— J'ai besoin de paix, dit Hadda en quittant la pièce.

Issa posa un baiser sur le front de son frère et regagna son tombereau dans la cour. Avant de quitter la ferme, il jeta un regard circulaire sur la propriété, récita un verset et se signa, sans remarquer que Hadda l'observait derrière la fenêtre de la cuisine. Il desserra la manivelle des freins et fit claquer son fouet par-dessus la croupe de la jument. Bientôt, le silence de la campagne se remplit des grincements de la charrette tandis que les rayons rasants du couchant étiraient démesurément l'ombre des arbres dans les vergers.

14.

Ramdane Bara rangea sa Peugeot 203 devant le siège du cadastre. Un portier se précipita pour lui ouvrir la portière.

— C'est un jour béni, monsieur le *mouhafed.* Vous êtes notre baraka.

— Merci, Marwane. Aurais-tu la gentillesse de passer un coup de chiffon sur ma voiture ? Je n'ai pas eu le temps de l'emmener au lavage.

— Ce serait un honneur pour moi, monsieur le *mouhafed.*

Ramdane confia les clefs de son véhicule de dotation au portier et s'engouffra dans le bâtiment. Il y avait du monde dans le hall, en majorité des paysans éclopés. Un vieillard en salopette rapiécée protestait à l'accueil. Le guichetier posa un doigt sur ses lèvres et, d'un imperceptible signe de la tête, il l'invita à jeter un coup d'œil derrière lui. À la vue du commissaire politique, le vieillard porta la main à sa bouche et se tut.

Tous les regards convergèrent vers l'homme costumé qui montait à l'étage avec une certaine altesse, un gros cigare entre les dents.

Le planton claqua des talons, la main à la tempe dans un salut militaire digne d'un caporal fraîchement promu.

— C'est un jour béni, monsieur le *mouhafed*.

— Sy Abbas est seul dans son bureau ?

— Il y a une dame avec lui.

— Dis-lui que je n'ai pas beaucoup de temps devant moi.

— Tout de suite, monsieur le *mouhafed*.

Le planton alla annoncer à son directeur la visite du commissaire politique et revint, fébrile d'obséquiosité.

— Vous pouvez entrer, monsieur le *mouhafed*.

— Je croyais qu'il y avait une dame.

— Il y a des priorités, *sidi*.

Ramdane entra sans frapper.

Le directeur était un homme distant que Ramdane détesta d'instinct. Il invita le commissaire politique à prendre place sur une chaise. Ramdane préféra le canapé.

Il assena de petites tapes sur son cigare.

— J'ignorais que tu étais magicien, Sy Abbas.

— Pardon ?

— Qu'as-tu fait de la dame ?

— Ah… Je l'ai priée de revenir me voir plus tard.

— Tu es sûr de ne pas la cacher dans un placard ? insinua Ramdane en lâchant un gros nuage de fumée.

— Elle est sortie par la porte de service… Ça vous ennuierait si j'aérais ? Je ne supporte pas l'odeur du cigare.

— Tu es chez toi, mon ami. Tu fais ce que tu veux… Je la connais ?

— Je ne crois pas, répondit le directeur en ouvrant la fenêtre.

Ramdane croisa les genoux de façon à présenter les semelles de ses chaussures à son interlocuteur – attitude que le directeur n'apprécia pas.

Il passa à l'objet de sa visite :

— J'étais en tournée d'inspection dans le coin. Alors, je suis venu voir où l'on en est de notre affaire.

Le directeur écarta les bras.

— Je suis désolé. *Il* est en règle.

Ramdane marqua un temps d'arrêt.

— Il est en règle ?

— Absolument, monsieur le commissaire politique.

Après un long silence, qui compressa la pièce, Ramdane contempla la braise sur son cigare, souffla dessus ; ensuite, le regard opaque et la bouche figée, il jeta le cigare par terre et l'écrasa sous sa chaussure.

— Il est en règle ?

— Vous avez très bien entendu, monsieur le commissaire politique.

— Parce que toi, un homme sensé, lettré, instruit, tu trouves normal qu'un crève-la-dalle comme Mekki Benallou soit en règle ? Il était quoi, avant ? Le palefrenier des Xavier, leur berger, leur serf ? Il n'avait pas de quoi raccommoder son fond de culotte, voyons. Comment peut-il se payer une ferme ?

— Je ne dirige pas un service de police, mais un cadastre. Vous m'avez demandé de vérifier l'authenticité de l'acte de propriété. Je l'ai fait. Il s'agit bel et bien d'un acte notarié en bonne et due forme.

— Tu ne m'apprends rien, à ce sujet, Sy Abbas. Je t'ai demandé plus qu'une simple vérification de document.

— Mon travail ne va pas plus loin, Sy Ramdane. L'établissement que je dirige a pour mission d'établir et de tenir à jour le plan cadastral. Il ne s'implique ni dans la falsification ni dans la modification des documents qui lui sont confiés.

— Qui t'a parlé de falsifier des documents ? Attention à tes allégations. Ne me fais pas dire ce que je n'ai pas dit.

— C'est la troisième fois que vous venez remettre sur le tapis cette histoire que je croyais close dès le départ. Je vous ai expliqué la situation, et elle est très claire. Je ne vois pas ce que vous attendez de moi au juste.

Ramdane se leva.

— Tu me déçois, Abbas. Tu ne peux pas savoir à quel point tu me déçois.

— Je ne peux pas enfreindre la loi.

— La loi, c'est moi.

Ramdane n'avait pas crié. Les privilèges et les prérogatives de sa haute fonction l'en dispensaient. Il était le commissaire politique de la wilaya, le représentant attitré de l'État chargé par le président en personne de veiller et d'appliquer, avec la rigueur la plus stricte, les directives du Parti unique. L'entêtement de son interlocuteur, qu'il interprétait comme de l'insubordination caractérisée, provoquerait l'éruption d'un volcan, mais Ramdane savait se retenir en public. Il savait surtout que la façon la plus efficace de battre en retraite est de faire croire à l'ennemi qu'il s'agit d'un repli tactique, pour mieux revenir à la charge.

— Tu veux que je te dise, Abbas ? laissa-t-il échapper d'une voix glaçante. Tu n'es qu'un bras cassé, un incompétent indigne d'occuper ce bureau.

La menace ne démonta pas le directeur, qui continua de soutenir le regard torve du dignitaire du Régime.

— Je te rappelle que la transaction a été opérée avant la déclaration de l'Indépendance de notre pays, martela le commissaire politique. Toutes les propriétés usurpées par le colon doivent être reversées aux biens vacants.

— Aucun texte juridique ne le stipule.

— On y travaille.

— Dans ce cas, revenez me voir lorsque les nouvelles lois seront ratifiées.

— Tu ne seras plus dans ces locaux, mon vieux. Je te le promets.

Sur ce, Ramdane quitta le bureau en claquant si fort la porte derrière lui qu'un tableau se décrocha d'un mur.

Hadda était en train de finir de laver la vaisselle lorsqu'elle entendit s'approcher une charrette. Elle reconnut, à travers la fenêtre, le tombereau de son beau-frère que les deux chiens de la ferme coururent intercepter en remuant allègrement la queue. Intriguée, elle essuya rapidement ses mains dans un torchon et rejoignit son mari dans le salon.

— C'est Issa. Pourquoi débarque-t-il aujourd'hui alors que nous l'attendions après-demain ?

— On ne va pas tarder à le savoir. Et, s'il te plaît, arrête de paniquer, ça m'énerve.

Issa tira sur les rênes de la jument et sauta à terre au moment où Hadda poussait la chaise roulante de son mari sur le pas de la porte.

— Il y a quelqu'un avec lui, s'inquiéta Hadda.

— Je ne suis pas aveugle, rétorqua Mekki en ramenant une couverture sur son infirmité.

Issa paraissait enjoué, ce qui détendit un peu les deux époux.

— C'est un jour béni, lança-t-il à son frère.

Hadda montra du menton l'individu resté sur la charrette.

— Qui est-ce ?

— Une prière exaucée, s'exclama le beau-frère. Ça fait des semaines que je me lève au beau milieu de la nuit pour me tourner vers le ciel et lui demander de nous envoyer un signe. Eh bien, l'homme que je nous ramène est peut-être le signe que nous réclamions.

Mekki se pencha sur le côté pour voir l'inconnu sur la charrette.

— Tu l'as ramassé où ?

— Je l'ai trouvé sur la route. Il a un genou esquinté.

— Et tu nous le ramènes ici ? s'écria Hadda. Tu aurais dû l'emmener chez un guérisseur.

— Je l'aurais sans doute fait si notre homme n'avait pas été en train d'écrire dans un cahier, dit Issa d'une voix fébrile.

Mekki défronça les sourcils.

— Tu l'as vu écrire de tes propres yeux ?

— Comme je te vois.

— Il y a des fous qui griffonnent n'importe quoi sans rien écrire du tout.

— Il n'est pas fou. Il s'appelle Adem. Tu te rends compte, Mekki ? Adem… N'est-ce pas un heureux présage ? Je lui ai parlé de notre problème.

— Tu as parlé de notre problème à un inconnu ? s'indigna Hadda.

— Et comment ! Nous sommes seuls au monde, Hadda. Seuls et désarmés. J'ignore qui est mon passager, je ne sais pas d'où il vient ni où il va, mais, lui au moins, contrairement à ceux que nous prenions pour des proches et pour des amis, est disposé à nous aider. Il a un livre dans son sac. Un livre gros comme ça où ne figure pas une seule image. Rien que de l'écriture du début à la fin. Quand il m'a fait signe de m'arrêter, avec son grotesque bandage sur le genou, il m'a crié : « C'est Dieu qui t'envoie.» Dans ma tête, je lui ai répondu : « C'est plutôt toi que Dieu a mis sur ma voie… » Il accepte d'écrire la lettre pour nous.

— Quel est son prix ? s'enquit Mekki.

— Il ne veut pas d'argent. Il a besoin d'être nourri et hébergé jusqu'à ce que son genou lui permette de reprendre la route.

Mekki avait vu transiter par ses terres toutes sortes d'individus, les uns hagards, les autres repliés sur eux-mêmes comme des serpents, des gitans en déroute et des rôdeurs en quête d'une brebis isolée ou d'une fenêtre laissée entrouverte. L'homme sur le tombereau ne lui disait rien qui vaille.

— Qui ne tente rien n'a rien, finit-il pas admettre.

— C'est peut-être un meurtrier ou bien un fugitif, lui chuchota Hadda.

— Laisse-nous entre hommes, s'il te plaît.

Hadda réprima un soupir d'agacement et retourna à ses occupations.

Issa commença par renvoyer les chiens avant d'aider le passager à descendre de la charrette.

— Je peux tenir sur mes jambes, le repoussa Adem en se laissant glisser sur le marchepied.

Son sac sur l'épaule, légèrement incliné sur le côté à cause de sa blessure, Adem avait vieilli. Les chaussures éculées, le paletot lourd de crasse et de boue, la barbe sauvage, on aurait dit un forçat échappé du bagne.

— Sois le bienvenu, lui fit Mekki.

— J'ai faim, dit Adem.

On l'installa à une table et on lui offrit un bol de soupe, une tranche de pain arabe et deux œufs durs. Adem les ingurgita en quelques bouchées et en redemanda. Issa apporta une casserole à moitié pleine de bouillon, lui en servit trois louchées. Adem avala tout, arc-bouté contre son bol comme s'il craignait qu'on le lui retire.

Après s'être rassasié, il s'essuya la bouche et la barbe et consentit enfin à lever la tête sur ses hôtes.

— Je me sens un peu mieux. Maintenant, il faut que j'aille dormir. J'ai froid, et je suis épuisé.

— Nous avons un lit dans la bicoque dehors, le rassura Mekki. Mais avant, il faut qu'on parle.

— Je n'ai pas la tête à écouter quoi que ce soit, pour l'instant.

— Qu'est-ce qui nous garantit qu'une fois reposé, tu ne nous abandonneras pas à notre sort ?

— Je ne pense pas aller bien loin, avec mon genou amoché.

Mekki fit non de la tête.

— Je veux que tu me donnes ta parole.

— Puisqu'il te dit qu'il ne peut pas aller loin avec son genou, implora Issa.

Son frère aîné le somma de ne pas l'interrompre.

Il posa une main autoritaire sur le bras du chemineau.

— Mon cadet dit que tu t'appelles Adem... Il pense que ça a du sens si la première personne qui se propose de nous aider se prénomme Adem. En vérité, je ne me fie pas aux coïncidences. Mais le désespoir fait croire à tout. Je vais faire court pour te laisser aller te reposer. Sache que, quelle que soit ta décision, je t'accorde l'hospitalité pour cette nuit. Mais nous avons besoin d'être fixés à propos de la lettre, mon frère et moi.

— Je l'écrirai, promit Adem. Mais pas aujourd'hui. Demain, peut-être, après un bon sommeil.

— Il ne s'agit pas de n'importe quelle lettre, l'avertit le fermier.

— Pourquoi compliques-tu les choses, Mekki, puisqu'il te dit qu'il va l'écrire, cette maudite lettre ? gémit Issa qui redoutait que son frère effraye l'instituteur et l'oblige à renoncer à les aider.

Mekki braqua un doigt péremptoire sur son cadet.

— J'ai toujours été honnête, Issa. Cet homme a le droit de savoir exactement dans quoi il s'engage. Il n'est probablement pas de la région et ignore ce qui se passe par ici. (Il se tourna vers Adem.) Je ne permettrai à personne de prendre des risques pour moi sans son consentement. Si je pouvais, j'écrirais la lettre moi-même, avec mon sang. Mais je n'ai jamais été à l'école. Mon frère non plus... Cette lettre, nous voulons l'adresser à Ben Bella, le président de la République.

Il se tut pour voir la réaction d'Adem qui n'en manifesta aucune.

— Au président de la République, insista Mekki.

— J'ai entendu.

— Ça ne te pose pas de problème ?

— Je ne vois pas lequel.

— Autre chose : dans cette lettre, nous voulons dénoncer les agissements d'une autorité locale qui cherche à nous déposséder de nos terres. Il ne s'agit pas de n'importe qui, là non plus.

Issa porta ses mains à ses oreilles pour ne pas entendre la suite, comme s'il redoutait une terrible déflagration.

— Il s'agit de Ramdane Bara, lâcha Mekki, la gorge contractée.

Adem attendit la suite, imperturbable. Le nom ne lui disait rien.

— Ramdane Bara est le commissaire politique de la wilaya. Il envoie les gens en prison par contingents. Même les militaires le redoutent.

— Pourquoi lui balances-tu tout ça à la figure ? s'alarma Issa. Dans ce cas, dis-lui simplement de prendre ses jambes à son cou et de déguerpir sans se retourner.

— Il faut qu'il sache à qui il a affaire, trancha Mekki. Je m'en voudrais s'il l'apprenait trop tard, et à ses dépens.

— J'écrirai cette lettre, dit Adem. Montrez-moi où je peux dormir. On reparlera de ça demain.

Le soleil avait atteint son zénith et le vagabond dormait encore. Issa attendait dans la cour, tantôt assis sur le rebord de l'abreuvoir, à proximité de la pompe à eau dont il n'arrêtait pas de tripoter nerveusement le levier, tantôt à tourner autour de la bicoque, ses mains moites dans le dos, la nuque basse. Lorsque Hadda se montrait sur le pas de la maison, il écartait les bras pour lui signifier qu'il faudrait prendre son mal en patience. Hadda frappait dans ses mains en signe d'exaspération.

Adem consentit enfin à s'extirper du lit. Il se débarbouilla dans un seau d'eau en bois et sortit s'étirer au soleil. La journée était resplendissante, avec un ciel immaculé et une lumière d'une rare pureté. Une bande de moineaux se pourchassaient dans les airs en exécutant des voltiges époustouflantes. Adem posa les mains sur ses hanches, releva le menton et respira très fort. Les deux chiens de la ferme s'approchèrent de lui, la queue allègre ; il les éloigna à coups de pied.

— Bonjour, Sy Adem, lui lança Issa en le rejoignant. J'espère que tu as bien dormi.

— Comme une enclume tombée dans la mare.

— Je n'ai pas voulu te réveiller plus tôt. Je tenais à ce que tu te reposes. Tu en avais tellement besoin.

— Est-ce que je peux avoir un petit déjeuner ? J'ai encore faim.

— Il est midi passé. Nous allons bientôt passer à table, Sy Adem.

— À la bonne heure.

Issa lui prit le poignet.

— Il faut que je t'explique quelque chose…

— Tout de suite, là ? Je ne suis pas tout à fait réveillé. Il me faut au moins un bon café pour me remettre les idées en place.

Issa accentua son étreinte autour du poignet de l'instituteur. Il dit, la gorge serrée :

— Je ne te retiendrai pas longtemps. Mais c'est important et confidentiel… Mon frère n'a pas perdu que ses jambes, ajouta-t-il, embarrassé de devoir se confier à un inconnu. La mine, sur laquelle il a sauté, lui a causé d'autres dégâts, si tu vois ce que je veux dire.

— Je ne vois pas.

Issa regarda autour de lui, éperdu. Il laissa échapper :

— Mon frère a reçu des éclats qui le privent d'avoir des enfants. Cette ferme est tout ce qui le retient en ce monde, tu comprends ? Il avait tenté de mettre fin à ses jours, au début. C'est grâce à ce domaine qu'il a repris goût à la vie. Ces arbres, que tu vois autour de toi, sont ses enfants maintenant. Mekki ne leur survivrait pas si on venait à les lui confisquer. Voilà pourquoi la lettre au président est capitale. Elle est notre dernier recours.

— Je comprends. Et maintenant, quand va-t-on passer à table ?

— Tout de suite, Sy Adem, tout de suite.

Mekki avait mis une chemise propre sous la veste qu'il portait la veille et il s'était rasé. Les cernes sur son visage attestaient qu'il n'avait pas dormi de la nuit. Sur la table en chêne devant lui, il y avait une sacoche vachère aux contours râpés et, à côté d'elle, dans une large enveloppe, l'acte de propriété.

Adem mangea d'abord à sa faim ; ensuite, il demanda du café avant de s'attaquer aux documents qu'il parcourut en silence, avec attention, tandis que Mekki et son frère l'observaient avec des yeux de suppliciés.

— C'est un acte notarié, dit l'instituteur. Je ne vois pas l'intérêt de lui adjoindre une lettre.

— Le *mouhafed* prétend que nos documents sont faux, gémit Issa.

— Il n'a pas dit qu'ils sont faux, le corrigea son aîné, il a dit qu'ils ne sont pas valables et que nos terres doivent être reversées aux biens vacants.

— Eh bien, il vous a menti.

Les deux frères n'en furent pas soulagés pour autant, mais la crampe qui leur raidissait les traits se distendit d'un cran.

— Il ne peut pas saisir nos terres ?

— Non.

Mekki se tourna vers son cadet.

— Je te disais bien que Xavier n'avait aucune raison de nous escroquer.

Puis il confia à Adem :

— Ces terres appartenaient à notre famille depuis plusieurs générations. Notre grand-père a été obligé de les vendre pour s'acquitter des énormes dettes qu'il avait contractées.

— En 1932, précisa Issa. Mekki avait quatre ans, et moi, je n'étais pas encore né.

— Notre grand-père a vendu nos terres à Xavier. Il est mort quelques mois après, et notre père ne lui a pas survécu longtemps. Vers la fin de la guerre de Libération, Xavier est venu frapper à ma porte. Il voulait savoir si on avait suffisamment d'argent pour racheter nos terres car il comptait quitter définitivement le pays. C'est comme ça qu'il m'a emmené chez le notaire signer les documents que vous venez de lire. Ma femme et moi, on s'est installés ici tout de suite après. Tout allait bien jusqu'au jour où une voiture s'est arrêtée devant chez moi. Le conducteur cherchait son chemin. Il était midi. Impossible de ne pas l'inviter à partager mon repas. Il a accepté de se joindre à ma table. Puis il a commencé à me parler de ma ferme et à me poser des questions sur les vergers, le commerce et tout. Des semaines plus tard, il est revenu m'apprendre qu'il était le commissaire politique et qu'il allait réquisitionner ma ferme parce que la transaction avec Xavier n'était pas valable et que ce qui avait appartenu aux colons revenait d'office à l'État. J'ai cru recevoir le ciel sur la tête. Depuis, il continue de menacer de m'expulser de chez moi. À cause de lui, Osmane et ses gosses, qui ont travaillé pour les Xavier et que j'avais gardés, nous ont abandonnés. Lorsque Issa est allé voir, dans le hameau voisin, s'il y avait des paysans qui aimeraient travailler pour moi, quelques hommes se sont tout de suite présentés. Mais depuis que le *mouhafed* a menacé de les jeter en prison, plus personne ne se hasarde sur mes terres. Ce tyran nous a coupés du reste du monde.

— Je vois, opina Adem. Je vous préviens, si vous expédiez la lettre par la poste, elle aura de fortes chances de ne pas atteindre son destinataire.

— Elle sera remise en mains propres au président. Notre cousin est le cuisinier de Ben Bella. Il est au courant de notre problème. C'est lui qui nous a suggéré d'écrire la lettre.

Adem réfléchit avant de demander de quoi écrire. Les deux frères se regardèrent, hébétés.

— Ben quoi, leur fit Adem, vous n'y avez pas pensé ? Il me faut du papier. Personne n'écrit sur des peaux de bêtes, de nos jours…

Issa rentra chez lui sans tarder, la précieuse lettre enveloppée dans un foulard en soie qu'il avait tourné sept fois par-dessus l'encensoir en récitant des incantations.

Le soir, Mekki invita l'instituteur à se joindre à sa table. Adem préféra manger dans la bicoque.

Hadda le trouva assis sur le lit, en train d'oindre son genou blessé.

— Je vous ai préparé des pommes de terre sautées et de la *chorba,* lui dit-elle.

Adem lui désigna du menton la table sous la fenêtre.

— Si vous avez du linge à laver, vous n'avez qu'à le poser devant la porte.

Adem continua de pommader son genou, sans lever les yeux sur l'épouse du fermier.

15.

Chevillé à sa chaise d'infirme, Mekki se laissait bercer par ses souvenirs. Il se revoyait solidement campé sur ses jarrets, les bottes en caoutchouc jusqu'aux genoux, incitant ses ouvriers à faire montre de plus de cran. À cette époque, qui semblait appartenir à une autre ère, il rêvait d'un pur-sang, de trophées de chasse et d'une ribambelle de mioches issue de ses entrailles. C'était l'époque où la sueur avait le goût des larmes de joie. Mekki était heureux. Tout lui était enchantement : les poiriers enguirlandés de fruits juteux, les amandiers en fleur, les cerisiers bourdonnants d'abeilles. Mekki se levait aux aurores, impatient de se mettre au travail. En retroussant ses manches, il se sentait en mesure de soulever des montagnes. Il se tenait sur le perron, le visage auréolé par la buée de son souffle, et guettait ses employés qui surgissaient de l'obscurité, emmitouflés dans d'épaisses gandouras en poil de chameau. Aussitôt, le cliquetis des outils se répandait dans le silence hivernal pour cadencer le pouls de l'effort. Mekki était le premier à donner le coup de pioche dans le sol gelé ; il ne redressait l'échine qu'à l'heure du repas. Il s'asseyait alors parmi ses saisonniers et mordait dans sa galette comme un dieu croquant la lune.

Mekki aurait fait de chaque moment un bout d'éternité si le sort n'en avait pas décidé autrement. Une mine, et boum ! plus de jambes, plus d'enfants, plus de pur-sang, plus de trophées de chasse… Un malheur n'arrivant pas seul, ce fut au tour d'un fringant jeune homme, qui portait une grosse chevalière au doigt et un cigare à la bouche, d'enfoncer le clou. Du jour au lendemain, tout s'inversa. Un sortilège immémorial s'abattit sur le domaine. Le poulailler se tut, l'étable se mit à se déglinguer sous les assauts du vent, les poires à pourrir par terre faute de main-d'œuvre. Les oiseaux qui faisaient escale dans les vergers ne chantaient plus. Même le hameau des Ouled Lahcène, là-haut sur la colline, paraissait englué dans la brume. Plus loin, ramassée autour de ses humeurs ombragées, la forêt n'attirait plus personne. On n'entendait que le braiment des ânes que l'on voyait, parfois, brouter çà et là, les pattes de devant sévèrement ligotées pour les empêcher de trop s'éloigner.

C'est triste, pensa Mekki ; cependant la ferme était toujours là, au milieu des terres ancestrales, refusant crânement d'abdiquer, et si elle ne payait pas de mine, elle n'en était pas morte pour autant.

Mekki n'avait pas arrêté de prier depuis que son frère Issa était parti avec la lettre. Quelque chose lui faisait croire que l'éclaircie allait résorber la grisaille qui obscurcissait l'horizon. La veille, il avait fait un rêve : il se tenait à califourchon sur une branche, les jambes suspendues dans le vide, et cueillait des citrons gros comme des melons qu'il lançait à Hadda au pied de l'arbre. Hadda portait une robe blanche. Un diadème berbère lui constellait le front. Elle riait aux éclats, la tête en arrière, chaque fois qu'elle attrapait au vol l'agrume. À son réveil, Mekki avait le visage inondé de larmes. Il ne se souvenait pas d'avoir pleuré depuis son accident survenu un an, trois mois et dix-sept jours plus tôt.

Le vrombissement d'un moteur ramena Mekki sur terre. Derrière le muret de pierres qui clôturait le domaine, le toit d'une voiture scintilla sous le soleil.

De la cuisine, Hadda avait entendu arriver le véhicule. Une violente crampe lui froissa le ventre.

— Laisse la carabine où elle est, la somma Mekki.

En reconnaissant la Panhard brinquebalante du chef de la cellule du Parti, il ajouta :

— Ce n'est que Sy Hafid...

La voiture roula jusqu'aux deux palmiers à l'entrée du domaine et emprunta la piste qui menait à la ferme. Les deux chiens l'escortèrent jusque dans la cour avant de retourner dans les vergers.

La voiture s'arrêta devant la maison en se gargarisant. C'était une automobile hautement pétaradante et laide qui agaçait les gens et les bêtes, mais Mekki était soulagé de ne pas avoir affaire à la funeste Peugeot 203 du commissaire politique.

Un homme de petite taille mit pied à terre. Il porta sa main en visière, à cause du soleil.

— Tu devrais acheter quelques vaches, Sy Mekki. On manque de lait dans le secteur.

— Chaque chose en son temps.

Hafid regarda autour de lui comme s'il cherchait quelqu'un.

— Issa dit que les choses vont bientôt s'arranger.

— Comment ça ? fit Mekki, méfiant.

— Je n'en sais rien. Il était en train d'attendre l'autocar pour Tlemcen. Comme il y avait du retard, je l'ai invité à prendre un café. Il m'a paru moins tarabusté que d'habitude.

— Il ne t'a pas dit pourquoi il allait à Tlemcen ? s'enquit Mekki pour être sûr qu'Issa n'avait rien révélé de la lettre au président.

— Je ne le lui ai pas demandé... En vérité, il m'a parlé d'un vagabond que tu héberges. C'est pour lui que je suis venu.

— Ce n'est ni un voleur ni un agitateur, je te le garantis. Depuis les deux jours qu'il est chez moi, il n'a pas...

— Non, non, s'empressa de le rassurer Sy Hafid. Je ne suis pas là pour lui causer des ennuis, mais pour lui proposer du travail... Est-ce que je peux m'entretenir avec lui ?

Mekki montra du menton la bicoque près de l'étable.

— Il est là-dedans. Il n'en sort presque pas. Pas le genre porté sur la conversation, je te préviens. Je l'ai invité à partager mes repas, il préfère manger seul.

Adem était tellement absorbé par ce qu'il griffonnait dans son cahier qu'il n'entendit pas la porte s'ouvrir.

— Désolé, s'excusa Hafid en entrant dans la pièce. J'ai frappé à deux reprises. N'obtenant pas de réponse, j'ai cru que vous étiez souffrant.

Adem toisa l'intrus, outré par son sans-gêne.

— Je suis Hafid Kerroum, le chef de la *Kasma*[1]. Je suis venu voir si je peux faire quelque chose pour vous.

Adem referma son cahier et fit face à l'homme mal fagoté qui s'était permis de le déranger.

— Quelque chose comme quoi, par exemple ?

— Quelque chose dans mes cordes, bien sûr.

Adem souleva un sourcil. Il dit :

— J'ai besoin d'un bain dans un bon hammam.

— C'est dans mes cordes.

— J'ai besoin de soigner mon genou chez un vrai médecin.

— Ça, aussi, c'est dans mes cordes.

— J'ai besoin de me faire couper les cheveux et raser la barbe.

— C'est faisable.

Adem s'adossa contre le mur et se remit à dévisager l'intrus.

— Je suppose que votre prévenance a un prix, monsieur FLN.

— Nous en parlerons après le hammam, le médecin et le barbier, puisque telles sont vos priorités.

Adem lissa l'arête de son nez, sceptique.

— Je pourrai refuser ce que vous aurez à me proposer en échange ?

— Bien sûr.

— Après le hammam et le reste ?

— Absolument.

— Où est le piège dans tout ça ?

— Il n'y a pas de piège.

1. Cellule locale du Parti.

Adem ramassa son sac, qui traînait par terre, y entassa les vêtements propres que la femme du fermier lui avait offerts la veille.

— C'est votre voiture que j'ai entendue arriver ?

— Oui.

— Eh bien, qu'est-ce qu'on attend ?

Le raffut de la vieille Panhard n'empêcha pas Adem de savourer le confort du siège qu'il occupait. Les mois passés à crapahuter dans la neige et la boue, à claudiquer sur les pistes et à tressauter à l'arrière des charrettes lui ayant fait oublier les avantages ordinaires de la modernité, il les redécouvrait presque tous dans la voiture qui glissait sur le bitume, souveraine et conquérante. Certes, l'appel des horizons résonnait toujours en lui, cependant, admettait-il, une petite escale dans un minimum de commodités n'était pas une si mauvaise idée. Adem avait besoin de se ressourcer afin d'affronter les mille et une turpitudes de l'errance. C'était la première fois, depuis l'asile psychiatrique de Joinville, qu'il disposait d'un vrai lit. Il était à ses aises dans cette bicoque qui le protégeait des éléments, des reptiles et des hommes. Il pouvait rester des heures entières à écrire ou à dormir sans qu'un coup de vent ou un craquement suspect ne le mette en alerte, et cela ne lui déplaisait pas d'être nourri à heures fixes, lui qui, souvent, se contentait de tubercules indigestes qui déclenchaient des chamboulements dans ses entrailles. Fatigué, tailladé de tous les côtés, il n'avait pas besoin d'un miroir pour constater combien il avait maigri, combien la faim et le froid l'avaient défiguré. Quand bien même il se serait habitué à ses guenilles et à ses savates dépareillées, il n'avait pas réussi à devenir un chemineau endurci. Lorsqu'il sentait mauvais, il n'en était pas fier. Lorsqu'il avait peur dans les bois, il en tremblait. Si les routes de nulle part le rendaient parfois dur avec lui-même, elles ne parvenaient pas à empierrer son âme comme il l'espérait. Il aurait tant voulu ressembler à ces spectres itinérants qu'il croisait par endroits, à ces énergumènes farouches qui traversaient le temps et les esprits comme des hallucinations avant de s'évanouir dans la nature ; il aurait aimé, lui aussi, tenir à distance la terre entière pour n'appartenir qu'à l'instant présent, débarrassé du passé et se fichant éperdument des lendemains, n'être que le précurseur de son ombre, le baliseur de ses pas, le quêteur intraitable du silence et de l'oubli, mais il ne faisait que cumuler les faux-semblants. L'hostilité qu'il dégainait à tout-va et qu'il faisait passer pour du caractère, la méfiance surfaite qu'il affichait à la moindre occasion, enfin, toutes ces attitudes malencontreuses et stupides qu'il improvisait pour tenir à distance les gens, n'étaient, en réalité, que des misérables défections. Et il le savait.

— Blessure de guerre ? lui demanda le chef de la Kasma.

— Quoi ?

— Votre genou.

— Un chauffard m'a poussé dans le fossé.

— Mon Dieu !... Ça fait combien de temps que vous êtes parti de chez vous ?

— Il n'y a pas de murs sur les routes pour cocher les jours dessus...

— Vous n'envisagez pas de vous poser quelque part ?

— Pour quoi faire ?

— Repartir de zéro.

— Je ferais quoi du reliquat de ma vie d'avant ?

— Rangez-le dans un coffre-fort et jetez la clef.

— Je n'ai pas de coffre-fort. Je n'ai qu'un sac sur l'épaule et des savates usées aux pieds.

— Vous ne pouvez pas ramener votre monde à si peu de chose.

— Et qu'aurais-je de plus que je ne vois pas ?

— Vous êtes jeune, instruit, et vous avez la vie devant vous.

— Ma vie est derrière moi.

Le chef de la Kasma attendit de doubler un autocar avant de revenir à la charge :

— Je ne suis pas d'accord.

Adem lui décocha un regard noir.

— Et si on changeait de disque ?

— Je n'ai rien dit de mal.

— Il ne faut rien dire du tout.

Les deux hommes ne s'adressèrent plus la parole jusqu'à Sebdou, un petit village désarticulé en contrebas des collines.

Sur une esplanade en terre battue, on vendait du cheptel et des bêtes de somme. L'appel des montreurs d'ânes supplantait le charivari ambiant. Des mioches se pourchassaient en riant au milieu des troupeaux, au grand dam des maquignons. Les propriétaires, reconnaissables à leur burnous soyeux et à leur turban brillant d'apprêt, se tenaient à l'écart de la cohue, le port altier, la canne au poing tel un sceptre.

Le chef de la Kasma désigna une guitoune de nomade, à côté d'un dromadaire baraqué.

— On y sert le meilleur thé du Sahara, proposa-t-il.

— Le barbier, le toubib et le hammam d'abord, insista Adem. J'aurais besoin de cigarettes aussi, si c'est dans vos cordes.

— Des Bastos ou des Gitanes ?

— Les deux.

Le chef de la Kasma écarta les bras.

— D'accord, patron, vous aurez les deux.

Au bain maure, Adem se livra à trois *moutchous* qui se relayèrent pour le décrasser, le laver et le masser. Ensuite, enveloppé dans de larges serviettes rances, il se délassa sur les nattes matelassées du vestiaire jusqu'à ce qu'on lui rappelle que le chef de la Kasma commençait à s'impatienter dehors.

Après le barbier, qui lui redonna une tête moins affligeante, et le médecin, qui lui désinfecta le genou, Adem consentit enfin à rejoindre le responsable FLN sous la guitoune du nomade.

Le serveur leur apporta deux verres de thé garnis de menthe fraîche.

— Si on passait directement aux choses sérieuses ? suggéra Adem.

— Buvez votre thé, d'abord.

— Je peux boire et écouter en même temps.

Le chef de la Kasma se racla la gorge.

Il raconta, dans un arabe impeccable :

— Avant, j'habitais dans une mosquée. J'y avais un petit bureau et une chambre sans fenêtre à peine assez large pour contenir un lit et une chaise. Quand on m'a confié les charges de la cellule locale du Parti, on m'a attribué une belle maison coloniale. Ses occupants l'avaient évacuée en catastrophe en laissant tout sur place : une télévision, des meubles imposants, un frigo, des toiles, etc. Il y avait une belle panthère en bronze sur la cheminée dans le salon. Pour moi, ce n'était qu'un bibelot décoratif. Un soir, j'ai reçu dans ma nouvelle demeure une militante yougoslave en visite officielle dans ma circonscription. Elle a manqué de sauter au plafond en découvrant la panthère sur la cheminée. Selon elle, il s'agit d'une œuvre d'art, une pièce unique qui aurait inspiré des dizaines d'artistes. Elle m'avait dit le nom du sculpteur, mais je ne l'ai pas retenu. Le plus tragique est que ma femme n'arrête pas de me supplier de me débarrasser de ce chef-d'œuvre parce qu'elle ne veut pas de chat noir à la maison.

— Je suppose qu'il existe une morale à cette anecdote.

— J'y arrive... J'étais imam, avant, et j'ai à peine le certificat de fin d'études. Parce que je parle et écris un arabe d'école, grâce à ma formation coranique, les autorités issues de la révolution, pour la plupart peu instruites, pensent que je suis quelqu'un de calé. C'est pourquoi elles m'ont nommé chef de Kasma.

— Vous vous débrouillez aussi bien qu'un prof.

— Sauf que je ne dispose pas de sa culture. Ma pseudo-rhétorique emprunte aux versets ce qu'elle n'est pas toujours en mesure de développer. J'ai accepté le poste, faute de concurrents disponibles. Mais le provisoire a l'excuse de s'inscrire dans l'urgence. J'ose espérer que la personne qui me succédera n'aura pas besoin d'une militante yougoslave pour reconnaître un chef-d'œuvre.

— Je ne vois pas le rapport avec moi.

— Nos enfants ont besoin de s'instruire, Sy Adem. Et nous manquons cruellement d'enseignants. Chez les Ouled Lahcène, on n'a jamais vu de tableau scolaire et on ne connaît ni ardoise ni morceau de craie. Les Français y avaient construit une petite bâtisse pour servir de classe, mais aucun élève n'en a franchi le seuil à ce jour.

— Et alors ?

— Issa m'a dit que vous êtes instituteur.

— C'est de l'histoire ancienne.

Le chef de la Kasma chassa les propos d'Adem de la main.

— J'ignore les raisons qui vous ont jeté sur les routes, mon ami. Mais il est question de l'avenir du pays. L'Algérie vient d'accoucher par césarienne d'une nation en état de choc. Massinissa n'est plus de ce monde pour nous réapprendre à tenir sur nos jambes. Nos martyrs non plus. Les Français partis, l'ensemble de nos secteurs névralgiques est géré par des patriotes qui n'ont pour compétence que leur foi, et cela ne suffit pas.

— Le peuple est libre, n'est-ce pas ce qu'il voulait ?

— La liberté n'est pas une fin en soi ; elle n'en est que l'illusion. Si nous voulons accéder à des jours meilleurs, nous devons axer l'effort sur nos enfants. Ils sont l'Algérie de demain. Ils sont plus aptes à consolider la liberté que nous.

— Nous ?...

— Les rescapés de la guerre. Nos têtes sont pleines de vacarme, nos poumons de baroud, nos consciences de traumatismes. C'est la raison pour laquelle nous devons céder la place à la nouvelle génération, celle de l'avenir. Et c'est là que vous intervenez, monsieur l'instituteur. C'est à vous que revient l'insigne devoir de former l'Algérien des lendemains qui chantent. Ce n'est pas par les bombardiers et les chars, mais par l'école, et seulement par l'école, que les peuples accèdent à une place honorable dans le concert des nations.

Adem éclata de rire.

— Vous vous croyez en campagne de sensibilisation ou quoi ? Allez raconter vos salades à vos administrés. Moi, j'ai rendu mon tablier. Je n'ai pas d'enfants ni de femme. J'ai mes raisons et elles ne sont pas négociables. Maintenant que j'ai pris mon bain, soigné mon genou et rasé ma barbe, reconduisez-moi là où vous êtes venu « faire quelque chose pour moi »... sans contrepartie, si je ne m'abuse.

16.

Le chef de la Kasma ramena Adem à la ferme. Dans un silence de plomb. Il avait roulé vite, pressé de se débarrasser d'un personnage obtus dont la discourtoisie n'avait d'égale que son ingratitude.

Adem trouva un repas sur la table de la bicoque. Il mangea à sa faim avant de reprendre son livre, son crayon et son cahier. La nuit était tombée. Le vent flûtait dans les interstices des poutrelles. Par la fenêtre, on pouvait voir un mince croissant de lune coincé au milieu des nuages.

Adem décida de sortir se dégourdir les jambes. Il claudiqua jusqu'au muret du domaine. Les deux chiens de la ferme coururent le rejoindre, enjoués, espérant recueillir une caresse ou la preuve d'une quelconque affection. Ils battirent aussitôt en retraite en voyant l'homme ramasser des pierres et menacer de les lapider.

Après avoir arpenté les vergers, Adem s'arrêta dans l'étable pour se protéger du vent et fumer une cigarette.

Une ampoule s'alluma au rez-de-chaussée de la maison, en face de lui, puis une silhouette s'imprima sur le rideau masquant la fenêtre. C'était la femme du fermier qui s'apprêtait à prendre un bain. Lorsqu'elle laissa tomber sa robe, une violente onde de choc parcourut Adem, réveillant en sursaut la bête qu'il croyait avoir tuée en lui. Il éteignit sa cigarette et se posta derrière un battant. Cela faisait une éternité qu'Adem n'avait pas eu sous les yeux le corps nu d'une femme. C'était comme s'il redécouvrait le monde qu'il ne faisait que traverser en coup de vent, les yeux tournés vers l'intérieur de son crâne saturé de rancœur et de furie.

La gorge aride, Adem était comme hypnotisé. Depuis combien de temps n'avait-il pas serré le corps d'une femme contre le sien ? Avait-il suffisamment serré celui de Dalal pour l'empêcher de s'évanouir dans la nature ? Il n'en était pas sûr maintenant que le volcan, qui venait d'*érupter* en lui, enflammait jusqu'à ses pensées.

Il s'approcha de la fenêtre pour admirer, à travers une mince ouverture dans les rideaux, les seins fermes d'une poitrine parfaite, les jambes glabres aux mollets magnifiques, les hanches sur lesquelles, lui semblait-il, s'étaient appliquées les mains d'un dieu exalté. Le cœur sur le point de rompre, le souffle débridé, Adem n'était plus qu'un tison planté dans un brasier.

Soudain, Hadda suspendit ses gestes et se tourna vers la fenêtre. Adem s'accroupit pour se cacher. Hadda s'enveloppa hâtivement dans une serviette et écarta un bout du rideau pour regarder dehors. Adem glissa le long du mur et battit en retraite vers la bicoque.

Adem fut incapable de s'endormir, cette nuit-là. Comment l'aurait-il pu, tendu comme un arc, avec une coulée de lave dans les veines ? Il repassait en boucle chaque détail de la nudité de cette femme à qui il n'avait pas daigné accorder la moindre attention jusque-là. Défilaient dans sa tête fesses, seins, mollets, hanches, tantôt entre ses mains fiévreuses, tantôt sous ses lèvres voraces. Adem ne voulait pas que le film s'arrête. La Terre s'arrêterait de tourner avec, et tout ce qu'il détestait le rattraperait.

Cette nuit-là, il y eut un déclic. Tandis qu'il ruisselait de sueur, le ventre en feu, les membres perclus de crampes, Adem eut brusquement envie de soulever le couvercle sur le puits de ses tourments et de crier dans le vide qu'il était vivant. Et parce qu'il était vivant, il s'adonna, sans honte et sans retenue, à un exercice intime et solitaire qu'il n'aurait pas imaginé pratiquer à son âge.

À midi, Hadda trouva l'instituteur en train d'écrire. En réalité, Adem n'écrivait pas. Il était étendu sur le lit, une main sous la ceinture. En entendant arriver la femme du fermier, il s'était mis sur son séant et avait ouvert son cahier.

Hadda posa le plateau contenant le repas de l'instituteur sur la table. Au moment où elle s'apprêtait à se retirer, Adem lui dit :

— C'était très bon…

Hadda fut frappée par le regard que l'homme posa sur elle. Le voile insaisissable qui le floutait, depuis qu'il était arrivé, s'était estompé, découvrant deux yeux d'un gris minéral subitement débarrassés de ce qui les rendait farouches comme ceux des fauves.

— Le ragoût d'hier, expliqua l'instituteur, il était très bon.

Hadda ne sut quoi dire. Adem comprit qu'il bouleversait quelque chose en elle. Si elle ne l'avait pas identifié, hier, dans l'obscurité, sûr qu'elle le soupçonnait d'être le voyeur. Les chiens auraient aboyé, et peut-être chargé, s'il s'était agi d'un intrus ou d'un maraudeur.

— Dites à votre mari que je le remercie pour son hospitalité. Dès que mon genou ira mieux, je partirai.

Elle hocha la tête.

— J'espère que ma présence parmi vous ne vous dérange pas ?

— Mon mari se sent moins seul depuis que vous êtes là.

— C'est vrai ?

Elle ne répondit pas.

— Et vous ?

— Je ne suis qu'une femme. Ce qui convient à mon mari me convient.

— Je me sens bien dans cette ferme. Si vous avez besoin de mes services, n'hésitez pas. Je serais à mon aise si je pouvais me rendre utile.

Hadda opina.

— Votre mari a été blessé pendant la guerre de Libération ?

— Non… Il a perdu ses jambes bien après l'Indépendance. Nous venions de nous installer à la ferme. Mon mari est allé chasser dans le maquis, avec son cousin. Ils ont marché sur une mine. Son cousin est mort sur le coup. Mekki a eu une jambe arrachée sur place. L'autre, on la lui a coupée à l'hôpital à cause de la gangrène.

— C'est terrible.

— Ce sont des choses qui arrivent.

— Vous êtes mariés depuis longtemps ?

— Oui.

— Je n'ai pas vu d'enfants.

Hadda parut très embarrassée par l'indiscrétion de l'homme. Elle se détourna.

— Pardon, c'est l'émotion qui me fait dire n'importe quoi, s'excusa Adem. Je n'ai pas d'enfants, moi non plus. Mon épouse n'en voulait pas, mentit-il.

Puis il se reprit :

— En vérité, c'est de moi qu'elle ne voulait pas. Son cœur appartenait à quelqu'un d'autre. C'est la vie. Le mariage est un jeu de hasard. Que l'on mise gros ou peu n'y influe en rien. La roue tourne et s'arrête sur la case de son choix.

Adem ne reconnut pas les grelots qui tressautaient dans sa gorge. Il venait de se confier avec une simplicité si naturelle qu'il crut entendre parler quelqu'un d'autre.

Hadda fixait le sol.

— Je sais que ce n'est pas correct de parler à une épouse en l'absence de son mari, mais cela fait si longtemps que je n'ai pas échangé un mot avec une femme.

— On a tous besoin d'une écoute.

— Vous avez raison. On a tous besoin d'une écoute. Malheureusement, les gens ne sont pas toujours réceptifs.

— Ce n'est pas par indifférence.

— Pourquoi, alors ?

— Chacun a ses soucis.

Adem remarqua que la main de Hadda avait relâché son étreinte autour de l'œil-de-bœuf. Elle gardait les yeux baissés ; cependant, elle ne donnait pas l'impression d'être pressée de prendre congé.

Il raconta :

— Je n'ai pas eu une enfance heureuse. Il y avait trop de misère et d'injustice dans mon village. Beaucoup trop. Un matin, je suis parti. Sans rien dire à personne. Je ne regrettais rien de ce que je laissais derrière moi. Je regardais droit devant, décidé à devenir quelqu'un d'autre. J'ai enseigné dans une école, et là encore, je n'étais pas bien. Je me suis marié, certain, avec une femme à mes côtés, de forcer la main au destin, mais je n'ai fait que découvrir combien rien ne me réussissait. Un soir, mon épouse a pris sa valise et est sortie de ma vie. Au début, cela m'a démoli. Puis j'ai appris à faire avec. Il m'en a fallu, du temps et des chemins, pour me rendre compte que la femme n'est pas un bien, mais un être à part entière. Si la mienne est partie, ce n'est pas parce que je n'ai pas su la garder, mais parce qu'elle voulait vivre sa vie. Et elle avait raison. On n'a qu'une seule vie.

— …

— J'ignore ce que je pourchasse si loin de chez moi. La paix ? Je n'ai aucune idée de ce que c'est. Je l'ai peut-être croisée sur mon chemin, mais comment m'en apercevoir si je ne sais pas à quoi elle ressemble ?

— …

— Mon oncle disait : « Si une comète heurtait la Terre, elle modifierait toutes choses en ce monde sauf la manie qu'ont les hommes de toujours chercher ailleurs ce qui, parfois, est à leur portée. »

Il parlait, parlait comme si, d'un coup, il venait de rompre un interminable vœu de silence. Il entendait sa voix se substituer à la pénombre de la pièce, déverser ses échos dans les recoins, revenir s'amplifier dans sa tête. Il avait le sentiment de remonter d'un gouffre, pareil à une entité abyssale rejoignant la lumière afin de renaître au jour, distillée et plus forte que jamais… Il était si ému par ses confidences qu'il ne s'aperçut pas que Hadda était partie en laissant la porte ouverte derrière elle.

17.

— Vous ne pouvez pas imaginer combien j'ai été content quand Issa m'a annoncé que vous acceptiez ma proposition, Sy Adem.

Le chef de la Kasma avait du mal à tempérer son enthousiasme.

— Je te disais bien que c'est un bon gars, renchérit Mekki sur la véranda. Hier, il m'a aidé à remplir un tas de formulaires qui moisissaient dans mes tiroirs. En plus, il ne fait pas de bruit. Des fois, on ne se rend même pas compte qu'il est là.

Le chef de la Kasma prit Adem dans ses bras, le serra très fort contre lui.

— Merci, Sy Adem, merci du fond du cœur. J'avoue que j'ai été choqué par votre attitude à Sebdou ; cependant, mon intuition me disait que vous alliez changer d'avis.

— J'ai loupé quelque chose ? s'enquit Mekki, curieux de savoir ce qui rendait Hafid de si bonne humeur.

— Notre cher instituteur accepte de prendre en charge les enfants des Ouled Lahcène. Il va leur apprendre à lire et à écrire. Les Anciens nous attendent au village. J'ai demandé à m'entretenir avec eux aujourd'hui.

Mekki fit la moue.

— Ce ne sera pas facile, croyez-moi. Ces gens-là ne tolèrent plus d'étrangers chez eux depuis que l'une de leurs filles a fugué avec l'infirmier arabe qui assistait le docteur Botev.

Mekki n'avait pas tort.

L'accueil fut glaçant, chez les Ouled Lahcène.

Le conseil des Anciens reçut le chef de la Kasma et l'instituteur dans la maison du patriarche. *Haj* Amar, centenaire et presque aveugle, était entouré de son cousin *haj* Nacer, un vieillard cacochyme mais à l'esprit aussi vif qu'une langue de caméléon, le taleb (maître de l'école coranique locale), l'imam *haj* Ghouti, et *haj* Menouar, le plus jeune d'entre eux, replié sur lui-même tel un serpent sur le point de frapper. Ils étaient assis en tailleur sur des nattes tressées, la mine impénétrable.

Le chef de la Kasma avait déjà eu affaire à ce comité d'accueil dont la susceptibilité découragerait le plus habile des médiateurs. La tribu était connue pour son hostilité à l'encontre de ce qui venait d'ailleurs, persuadée que le cosmopolitisme conduirait inexorablement à l'abâtardissement. Recroquevillée sur elle-même, elle vivait en marge de la société depuis plusieurs générations, prête à fourbir ses pétoires et à seller ses montures pour défendre ses collines rocailleuses et son maigre cheptel.

Le chef de la Kasma espérait un sourire ou un geste bienveillant ; il n'eut droit qu'à un mutisme frustrant qu'il devait rompre, lui le premier, au risque de déclencher une bourrasque. Le moindre propos mal assimilé pourrait réduire en poussière les incessants efforts qu'il déployait, depuis des mois, pour désenclaver le hameau.

— Je suis venu vous apporter les salutations fraternelles du Parti et vous témoigner du respect grandissant...

— Pourquoi « grandissant » ? l'apostropha *haj* Nacer.

— C'est une formule de politesse, *haj*.

— Je n'aime pas cette façon de dire les choses.

— Il n'est pas dans mes intentions d'offenser qui que ce soit.

— Ni dans votre intérêt.

Le chef de la Kasma acquiesça sans se laisser intimider. Il essuya les commissures de sa bouche dans un bout de mouchoir, considéra *haj* Nacer avant de reprendre :

— Je ne suis pas venu en ennemi. En ma qualité de responsable de la cellule communale du FLN, j'ai une mission à accomplir. Notre nation a choisi de prendre son destin en main. C'est la raison pour laquelle le *mouhafed* m'a mandaté...

— Ne citez pas cet individu sous le toit du patriarche, dit *haj* Nacer, d'un ton calme mais ferme. Votre *mouhafed* a menacé d'envoyer en prison nos hommes s'ils persistaient à travailler pour les Benallou. Nous ne l'aimons pas.

— Moi non plus. Sauf qu'au niveau du département il est le représentant du FLN, et donc du président.

— Il ne représente rien pour nous. Notre seul et unique chef est en face de vous, objecta *haj* Menouar en se tournant vers le patriarche qui paraissait somnoler sur son coussin. Nous avons fait la guerre aux côtés de l'émir Abdelkader, de Bouâmama, des Ouled Sid-Echeikh, des Doui Menia et des Ouled N'har pour que notre tribu préserve son territoire et son mode de vie. Nous avons fait la révolution du 1er novembre 1954 pour les mêmes raisons. Aussi, quand le hasard ou vos missions vous poussent jusque chez nous, laissez la république derrière vous et comprenez que vous pénétrez dans un territoire où pas un empan d'autorité ne sera cédé à une personne autre que *haj* Amar.

Le chef de la Kasma leva les mains en signe d'apaisement.

— Je crois qu'on peut passer directement à l'objet de ma présence parmi vous.

— Voilà qui est judicieux, admit *haj* Nacer.

— Je suis là pour l'école. Le monsieur qui m'accompagne est instituteur. Il a enseigné dans plusieurs collèges de la Mitidja. Il accepte d'instruire vos enfants.

Tous les regards du Conseil convergèrent sur Adem, sauf celui du doyen qui n'avait toujours pas levé les yeux sur les deux visiteurs.

— Nos enfants ont déjà un maître, dit le taleb. Ils ont appris par cœur une bonne partie du Coran.

— C'est très bien, l'en félicita le chef de la Kasma. Votre enseignement est précieux, mais ce n'est pas un tort de s'ouvrir à d'autres horizons. La planche n'est pas incompatible avec le cahier. Bien au contraire, ils se complètent.

— Qu'es-tu en train d'insinuer, Sy Hafid ? s'indigna *haj* Menouar. On ne met pas sur un pied d'égalité le texte sacré et le gribouillis des hommes. Il n'est d'enseignement salutaire que la parole du Seigneur.

— J'ai été imam, avant, lui rappela le chef de la Kasma.

— Tu aurais dû le rester. Nous n'avons que faire de vos ardoises ni de vos cahiers, et nul besoin d'une école étatique chez nous. Nous avons la nôtre, et elle nous suffit. Depuis des siècles, notre tribu vit à son rythme. Hier, nous avons pris les armes pour qu'on le sache. Nous sommes prêts à les reprendre en guise de rappel.

— Le guerrier n'est pas celui qui part à l'assaut, un sabre à la main, *haj* Menouar. Le guerrier, le vrai, est celui qui met ses pas dans la marche de son temps, un livre sous le bras. Car l'ennemi implacable, l'ennemi de toujours, l'ennemi commun est l'ignorance.

Un dialogue de sourds s'engagea, s'envenima par moments, puis le doyen émergea enfin de sa fausse léthargie. Il avait écouté attentivement les arguments des uns et des autres.

Il décréta :

— Le prophète nous recommande d'acquérir le savoir et d'apprendre à nos enfants le maniement des armes et de la plume. Nous sommes une tribu séculaire longtemps retranchée derrière ses remparts, mais aujourd'hui, aucun bastion n'est un abri s'il refuse d'admettre que les choses changent autour de lui. Sy Hafid a raison. Nous sommes obligés de mettre nos pas dans la marche du temps, car le temps n'attend personne.

— Mais, cheikh, s'écria *haj* Menouar, tout ce qui nous vient de l'extérieur nous a desservis. On ne sait rien de cet enseignant. Est-il un bon croyant ? Est-ce qu'il fume ? Est-ce qu'il boit ? On nous le ramène d'on ne sait où et on veut qu'on l'adopte les yeux fermés. Je n'ai pas confiance dans l'enseignement des gens de la ville qui se dénaturent en croyant s'émanciper et je ne tiens pas à ce que l'on pollue la tête de nos enfants avec des idées contaminées. Nous avons notre taleb, notre guérisseur, notre imam, notre cheikh, notre Conseil et notre foi pour élever nous-mêmes notre progéniture.

Le patriarche leva légèrement la main pour prier *haj* Menouar de se calmer. Il lui dit :

— Je comprends ta douleur, *haj* Menouar. Parce qu'elle est la mienne aussi. Mais les risques font partie de l'aventure humaine. Et il n'existe pas de réforme sans concessions.

Haj Menouar voulut protester, *haj* Nacer le foudroya du regard.

Le patriarche venait de trancher : les fantômes qui peuplaient la classe que l'armée française avait construite à la sortie du village devaient céder la place aux vivants.

Le lendemain, deux camions de la municipalité chargés de chaises et de tables débarquèrent dans le hameau, au grand désarroi de *haj* Menouar qui ne percevait, dans l'agitation autour de l'« école », que les signes avant-coureurs d'une imminente dépravation. Debout sur une butte, le chapelet entre les doigts, il observait les employés en train de décharger leur cargaison, et d'autres, en salopettes maculées d'éclaboussures blanches, trimbaler des pots de peinture en s'interpellant à voix haute comme s'ils étaient au souk. La mort dans l'âme, il frappa dans ses mains et retourna chez lui en pestant, persuadé que le diable venait de jeter son dévolu sur le bastion de ses ancêtres.

Le jour de la « rentrée », fixé par le patriarche, Adem se leva tôt. Il se lava la figure avec du savon, se rasa, mit des habits propres. Pendant qu'il laçait ses chaussures, deux voitures noires envahirent la cour de la ferme. Des hommes en costume austère en descendirent et se ruèrent sur la maison du fermier.

Mekki manqua d'avaler de travers en voyant quatre énergumènes patibulaires investir sa demeure.

— Nous sommes de la police, lui annonça un moustachu sur un ton agressif. Nous sommes venus chercher l'acte de propriété pour vérification.

— Il n'en est pas question, tonna une voix.

Les policiers se retournèrent, curieux de voir qui était l'imprudent qui osait braver leur autorité. Adem se tenait sur le pas de la porte, nullement impressionné par les intrus.

— Tu es qui, toi ? feula le plus gradé.

— Quelqu'un qui connaît le droit, lui rétorqua l'instituteur. Il y a des lois, dans ce pays. Aucune d'elles ne vous autorise à entrer dans une propriété privée comme dans un moulin, messieurs. Concernant l'acte de propriété, il ne souffre d'aucune ambiguïté. Si vous avez des soupçons quant à son authenticité, adressez-vous au cadastre.

Adem avait parlé en français, sans trébucher d'une syllabe, le ton aussi péremptoire qu'une sommation, ce qui désarçonna les policiers en civil qui, de toute évidence, n'avaient pas l'habitude de voir leur autorité narguée.

— Nous avons l'ordre de récupérer…

— Rien du tout, trancha Adem. Allez-vous-en. Immédiatement.

Les quatre policiers se regardèrent, déboussolés. Si le téméraire avait le toupet de les menacer, pensaient-ils, il ne pourrait s'agir que d'un ponte du Parti ou d'un officier au bras long. Ils jugèrent sage de ne pas prendre de risques inutiles et regagnèrent leurs véhicules.

Adem ne rejoignit pas ses élèves au hameau des Ouled Lahcène. Il choisit de rester à la ferme au cas où les policiers reviendraient.

À midi, Hadda lui apporta un repas amélioré garni de fruits.

— Mon mari est ému aux larmes. Ce que vous venez de faire pour nous…

— Je l'ai fait pour toi, lui déclara-t-il à brûle-pourpoint.

Hadda sentit la terre se dérober sous ses pieds. Sa gorge se contracta et un violent flux de sang lui monta au visage.

— Pour moi ? suffoqua-t-elle, indignée.

— Pour qui d'autre ?

Elle tendit le bras pour l'empêcher de l'approcher.

— Ce ne sont pas des choses à dire à une femme mariée. Si mon époux vous entendait…

— Ce n'est pas à lui que je m'adresse.

Elle posa le plateau par terre et sortit en courant de la bicoque.

Hadda erra de pièce en pièce toute la journée, ne s'attaquant à une tâche que pour y renoncer aussitôt. Elle avait à peine commencé à laver la vaisselle qu'elle se surprenait en train de ranger l'armoire, puis à balayer à tort à travers dans le corridor, dans les chambres, dans la cuisine. Mekki ne l'avait jamais vue dans un état pareil.

Le soir, après avoir toiletté et mis au lit son mari, Hadda ne put s'empêcher de s'attarder sur le tas de misère qu'incarnait son homme. Mekki n'était plus qu'un tronc hideux abandonné là par une crue qui aurait emporté tous les rêves sur son passage, la ruine lamentable de ce qui avait été un garçon vigoureux et adroit, les restes d'un être brisé que le mauvais sort exhibait comme un trophée de chasse. Pour la première fois, après trois années de mariage, Hadda ne vit en son époux qu'un miroir lui renvoyant sa propre infortune. Sa vie lui parut plus à plaindre que les cuisses informes et laides, ravagées par les éclats de la mine, qui semblaient étendre leur tragédie jusque sur les draps blancs. Pour la première fois aussi, Hadda n'osa pas masser ces bouts de chair répugnants et se contenta de ramener la couverture dessus.

— Qu'est-ce qui ne va pas ? lui dit Mekki. Tu es toute retournée.

— Avale tes cachets et tâche de dormir.

— C'est à cause des policiers ? Si c'est ça qui te tracasse, rassure-toi. Ils ne trouveront pas l'acte.

Hadda lui ajusta l'oreiller.

— Tout va s'arranger, tu verras. La lettre est entre de bonnes mains…

— Arrête avec tes illusions, ça me fatigue.

— Et moi, alors ? J'ai failli succomber à une crise cardiaque lorsque ces gros bras ont envahi ma demeure. Écoute…

— Je ne veux rien entendre, Mekki. J'ai besoin de paix.

— Dans ce cas, arrête de ruminer. Ça fait des heures que tu tournes en rond comme une souris piégée. Tâche de te ressaisir, d'accord ? S'il est écrit que cette ferme doit nous être confisquée, tant pis. Dieu sait ce qu'il fait.

— Tu vois ? Tu ne dis que des bêtises.

— Et toi, tu en fais trop. As-tu goûté à mon bouillon avant de me l'apporter ? Tu l'as tellement salé que j'en ai la gorge écorchée. Reviens sur terre, s'il te plaît. Je te rappelle que l'instituteur attend toujours son dîner.

— Il n'a qu'à prendre son mal en patience.

— Ah oui, c'est comme ça que tu le remercies. Sans son intervention, la police…

— Je m'en fiche de la police, cria Hadda en quittant furieusement la chambre.

La nuit avait englouti la campagne. Les vergers évoquaient un monde parallèle que les deux chiens de la ferme hantaient ; on devinait leurs silhouettes efflanquées dans l'obscurité, le museau raclant le sol en quête de leurs propres traces.

Embusqué derrière la fenêtre, Adem guettait Hadda. Cela faisait plus de deux heures qu'elle aurait dû lui apporter à manger. Il n'avait pas faim ; il voulait la revoir, lui parler, sentir son odeur, acculer son regard, la prendre dans ses bras quitte à se faire lyncher dans la foulée.

Adem n'ignorait pas que, dans ces contrées enclavées, la femme était l'armure de son homme et son talon d'Achille, la somme de toutes ses prières et de toutes ses abjurations. Lever les yeux sur l'épouse d'un autre était le plus abominable des outrages ; pousser la témérité jusqu'à tenter de la séduire était un sacrilège qui ne connaissait qu'un seul détergent : le sang.

Adem n'en avait cure. Il estimait avoir touché le fond, que sa disgrâce était le pire des châtiments et que, désormais, rien ne lui importait plus que cette femme. Elle occupait ses pensées, sa chair et son être.

Hadda sortit enfin sur la véranda, un plateau entre les mains. Elle avança sur le perron, hésita sur la première marche. *Approche, approche*, la supplia Adem en son for intérieur, *ne m'oblige pas à venir te chercher*. Hadda regarda derrière elle, parut sur le point de retourner dans la maison. *Non, je t'en conjure, ne fais pas ça. Viens, pour l'amour du ciel, viens*. Les deux chiens s'approchèrent d'elle ; elle les chassa.

Après une interminable tergiversation, elle marcha vers la bicoque.

Adem était certain que Hadda ne le rejoindrait pas à l'intérieur, qu'elle laisserait le plateau sur le pas de la porte avant de se retirer sur la pointe des pieds. Lorsqu'il entendit tinter le plateau sur le sol, il ouvrit brusquement la porte, attrapa Hadda par le poignet et l'attira dans la pièce.

Prise de court, Hadda mit un certain temps à réagir. Adam la tenait avec autorité. *Tu n'as rien à craindre. Personne ne saura.* Aveuglé par le désir, il la poussa contre le mur et se mit à l'embrasser dans le cou et à laisser courir ses mains fiévreuses sur le corps piégé.

S'ensuivit une lutte silencieuse qui fit grincer la table.

Suffoquant sous la force tumultueuse qui la broyait, Hadda ne contrôlait plus rien. Bien que consciente du vertige en train de permuter les balises du bien et du mal, elle ne parvenait pas à comprendre pourquoi ce qui menaçait de la souiller ne l'indignait pas, pourquoi ce qu'elle avait toujours redouté ne l'effrayait plus, pourquoi les doigts sur son corps, au lieu de l'éteindre dans l'opprobre et le dégoût de soi, l'effeuillaient, l'écossaient en dévoilant une à une les braises qui sommeillaient en elle. Bouleversée par l'éveil brutal à cette chose à laquelle elle avait cessé de prétendre, Hadda était pareille à une phalène que la torche aspire. Dans son esprit, la loyauté et la mutinerie se neutralisaient, plus laminées que galvanisées.

Adem était persuadé que Hadda avait autant faim que lui, sinon elle crierait, grifferait, mordrait et se battrait de toutes ses forces. Or, elle ne criait pas ; ses sourdes protestations n'étaient qu'un simulacre de résistance. Il la sentait renaître à ses instincts, pareille à une terre brûlée qui s'embrase de nouveau sous la cendre. Il redoubla de fougue lorsque les soubresauts dérisoires se mirent à s'espacer sous son emprise.

Hadda ne savait plus si elle livrait bataille ou bien si elle se livrait. Elle mesurait nettement l'étendue du péché auquel l'instituteur l'exposait, sauf que la portée de ce péché ne semblait pas dissuader son corps tétanisé de réclamer le chaos. Pendant que son être prenait feu, ses jeunes joies sacrifiées pour que l'honneur soit sauf lui revinrent de plein fouet, avec la violence d'un retour de flammes. Soudain, elle cessa de se contorsionner et, dans une délivrance sauvage trahissant l'ensemble de ces *choses* tues qui se rebellaient d'un coup sans crier gare, elle se surprit en train de s'agripper à son tour à son agresseur, de livrer ses lèvres à la bouche vorace qui la dévorait. Défaite et consentante, elle sollicita le coup de grâce. Adem s'enhardit ; il glissa une main triomphante sous la robe… « On ne fait rien de mal », haletait-il. À l'instant où les doigts de l'homme profanèrent son intimité, Hadda écarquilla les yeux, horrifiée et outragée à la fois.

— Je suis une femme mariée, s'écria-t-elle en rabattant sa robe.

Elle sortit de la bicoque comme d'un délire, pantelante, épuisée, terrassée.

Adem ne toucha pas au plateau.

Il éteignit la lanterne dans la pièce et resta près de la fenêtre à espérer voir revenir Hadda.

Hadda ne revint pas.

Couchée à côté de son mari, dans un lit qui lui parut aussi vaste et nu qu'un désert de pierres, Hadda passa et repassa les doigts sur son corps brûlant d'attouchements. Elle ne savait plus si elle était en train de se consumer sur un brasier ou si elle était le brasier lui-même. Par endroits, elle eut l'impression que sa main et celle de l'instituteur n'en faisaient qu'une, que sa respiration se perdait dans des halètements qui n'étaient pas les siens, que son intégrité se décrispait comme une fleur en train d'éclore. Elle pensa à sa sœur, mariée deux ans après elle et déjà mère d'un garçon, aux voisines qui partageaient le patio familial, là-bas à Sebdou, et qu'elle entendait parfois gémir de plaisir entre les bras de leurs époux, à sa tante qui, chaque matin, rassemblait autour d'elle les jeunes vierges pour leur raconter avec moult détails ses ébats torrides de la veille ; elle pensa surtout aux premiers mois de sa vie conjugale, quand Mekki jouissait précocement en elle avant de lui tourner le dos en la laissant sur sa faim.

Les chiens se mirent à aboyer. En regardant par la fenêtre, Hadda vit une voiture s'arrêter devant la bicoque, les phares allumés. Des portières claquèrent et quatre silhouettes, lampes torches à la main, se ruèrent à l'intérieur de la baraque.

Adem dormait.

Il n'entendit pas hurler les chiens ni arriver une voiture.

Il n'eut pas le temps de comprendre ce qu'il se passait lorsque la porte de la bicoque s'ouvrit dans un fracas.

Il reçut un coup sur la tête.

18.

Un loquet grinça, suivi d'un bruit de pas. Un grand gaillard entra le premier dans la cellule et se positionna sur le flanc d'Adem assis sur un banc en ciment. Deux policiers en uniforme se placèrent de part et d'autre de la grille, en retrait dans le couloir, la mine opaque ; ils s'écrasèrent contre le mur pour laisser passer le *mouhafed*.

— Comment va notre grand clerc en écriture ? fit le commissaire politique en français.

— Où suis-je ?

— À la fourrière.

— Vous n'avez pas le droit de me séquestrer, protesta Adem. Je vous préviens, ce que vous venez de faire vous coûtera cher. Ça s'appelle un rapt. Et il y a des lois, dans ce pays.

Le commissaire politique écarta les bras d'un geste théâtral.

— De quoi te plains-tu, clochard ? Tu as un toit, un lit, des latrines à côté ; on te donne à boire et à manger sans que tu aies à fouiller dans les poubelles. Beaucoup de tes semblables n'ont pas ce privilège.

— Relâchez-moi, et tout de suite.

Le commissaire politique se tourna vers les deux policiers roides d'obséquiosité, émit un petit sifflement admiratif.

— Il pète le feu, le damné.

Son visage s'embrasa de fureur. Il rugit, glaçant :

— De braves moudjahidine ont été exécutés au maquis pour avoir osé gémir un peu plus fort que leurs camarades… Hausse encore une fois le ton devant moi, fils de pute, et je promets de t'emmurer dans ce trou à rat jusqu'à ce que tu aies bouffé ta langue et ravalé toutes les paroles que tu n'as pas su évacuer par le trou du cul.

Le colosse, qui ne saisissait pas ce que les deux hommes se disaient en français, attrapa Adem par le cou et l'obligea à se lever.

— On se met au garde-à-vous devant monsieur le *mouhafed.*

Le commissaire politique toisa l'instituteur, le rictus perfide.

— Couché ! Et ne remue la queue que lorsque je te l'ordonne, monsieur le chien errant qui se prend pour un loup solitaire.

Adem n'ignorait pas de quoi étaient capables les nouveaux maîtres du pays. Il en avait vu défiler sur les tribunes pavoisées de fanions, sur les places publiques en liesse, dans les stades vibrant de clameurs patriotiques ; il les avait entendus vociférer, le discours ensorceleur, la diatribe incendiaire, galvanisant les foules en extase et promettant monts et merveilles à de pauvres gens endoctrinés. Adem les détestait tous sans exception, détestait leur doigt tranchant comme un sabre, leur zèle de fanfarons, leur tête des mauvais jours et leurs bannières taillées dans des tissus de mensonge. Il réalisa surtout qu'il n'était pas de taille à se mesurer à eux et qu'il risquait gros dans cette cellule nauséabonde dont les recoins résonnaient encore des cris des détenus.

Le commissaire politique guetta la réaction de l'instituteur. Ne voyant rien venir, il claqua des doigts. L'un des deux policiers se dépêcha de lui remettre un cahier. Adem reconnut le sien.

— C'est toi qui as écrit ces âneries ?

Il feuilleta çà et là, s'arrêta sur un texte qu'il lut à voix haute, avec grandiloquence : « Par-dessus les décombres de toute révolution, une race de vautours se fera passer pour des phénix qui n'hésiteront pas à faire des cendres de martyrs de l'engrais pour leurs jardins, des tombes des absents leurs propres monuments et des larmes des veuves de l'eau pour leurs moulins. » Tu l'as puisée dans quel grimoire, cette formule à la con ?

Adem ne répondit pas.

— Seul un dangereux psychopathe est capable de coucher sur le papier des élucubrations aussi infectes.

— C'est mon journal intime, s'insurgea Adem.

Le colosse le saisit par la gorge et le catapulta contre le mur.

— On ne hausse pas le ton devant monsieur le *mouhafed.*

Le commissaire s'approcha de l'instituteur, pencha la tête sur le côté pour le considérer de biais.

— Qui es-tu ? Un agitateur mal inspiré ou bien une bombe à retardement laissée par la France sur notre territoire ?

Adem voulut protester ; le colosse le plia en deux d'un coup de poing.

— Quand monsieur le *mouhafed* parle, on s'abreuve à ses lèvres. Ses paroles sont une prescription médicale.

Le souffle coupé, Adem mit un genou à terre.

— Quelque chose à déclarer ? lui demanda le commissaire politique. Ben vas-y, vide ton sac. On s'est battus pour ne plus se taire, non ? Tu n'as rien à craindre. Tu es parmi les tiens.

Ne te gêne surtout pas. (Il se tourna vers les gardiens.) N'est-ce pas qu'il est parmi les siens ?

Les gardiens acquiescèrent.

Adem eut soudain peur, peur de cette cellule où l'exercice de l'impunité était gravé dans la pierre contre laquelle tant de crânes s'étaient fracassés, peur de subir les pires sévices, peur de ne plus revoir la lumière du jour. Les deux policiers en retrait dans le couloir affichaient profil bas. Quand bien même ils n'avaient pas l'air de se réjouir d'être là, ils ne bougeraient pas le petit doigt pour lui. Quant au grand gaillard au crâne cimenté, avec sa nuque étagée sur trois bourrelets de graisse et sa gueule de troglodyte, il n'attendait qu'un signal pour déchiqueter sa proie. Rien sur sa figure faunesque ne le prédisposait à une quelconque présence d'esprit. Ramassé autour de sa vocation de brute tel un serpent sur le point de frapper, on lui aurait livré son propre frère qu'il ne l'aurait pas épargné.

— La libération du pays n'est pas une fin en soi, pérora le commissaire. Il nous reste à dératiser nos contrées d'une certaine vermine. Nous savons que des espions et des harkis sont encore parmi nous et qu'ils cherchent à torpiller nos projets.

— Je suis instituteur.

— C'est ce qu'on va vérifier. Si tu n'es qu'un pauvre bougre aigri qui s'imagine poète, nous t'apprendrons à mieux contempler les étoiles. Par contre, si tu fais partie de ces parasites qui se font passer pour des intellectuels, nous te ferons regretter d'être allé à l'école. Nous en avons liquidé une bonne partie dans les maquis, mais la purge en a laissé filer quelques-uns qui, aujourd'hui, s'improvisent défenseurs des veuves et des orphelins et fourrent leur nez dans des affaires qui ne les concernent pas.

Il se tourna de nouveau vers les deux policiers qui, à contrecœur, approuvèrent de la tête.

— Assainir les esprits est plus compliqué que déclencher une révolution, reprit le commissaire, visiblement friand d'anathèmes. Notre victoire sur le colonialisme ne sera totale que lorsque nous aurons éduqué la nation en faisant en sorte que tous les Algériens marchent au pas, en rangs serrés, comme à la parade. Les têtes brûlées dans ton genre n'ont qu'à bien se tenir si elles ne veulent pas finir au fond du panier.

Il brandit le cahier comme on exhibe une pièce à conviction, l'agita en direction des deux policiers pour les prendre à témoin et se mit à en arracher les feuilles par poignées.

Pour Adem, c'était son cœur qu'on déchirait. Il bondit en poussant un « Non ! » interminable. Le colosse l'intercepta en plein élan, lui tordit le bras et le plaqua contre le mur. Adem se débattit, fou de rage ; il n'eut que la force de crier sa peine et son dégoût :

— Espèce de sauvage… Goebbels… fasciste… barbare…

Imperturbable, le commissaire sortit un briquet de sa poche et mit le feu au tas de feuilles émiettées par terre. Une flamme illumina la cellule quelques instants avant de s'éteindre dans un ballet de fumée et de cendre. Adem fixa la tache noire en train de se consumer comme on regarde, impuissant, un désastre. Lorsque la grille de la cellule ferrailla en se refermant, il se coucha à ras le sol, en position fœtale, et éclata en sanglots.

La tête dans les mains, Mekki culpabilisait. Il ne mangeait presque plus depuis l'enlèvement de l'instituteur. Certaines nuits, il se réveillait en sueur au milieu d'ombres menaçantes et restait ainsi, le dos roide de tension, jusqu'au lever du jour.

— Tu as été franc avec lui, essayait de l'apaiser Issa. Tu l'avais prévenu qu'on s'attaquait à un tyran au bras long, que c'était risqué.

— Oui, mais il n'était pas du pays et ne savait pas où il mettait les pieds.

— Ce n'est pas vrai, il savait. Tu as été très clair avec lui. Est-ce que tu l'as sollicité quand on a cherché à te confisquer l'acte notarié ? C'est lui qui s'est dressé, de son plein gré, contre les policiers.

— Je t'interdis d'insinuer qu'il l'a cherché. Ce garçon est un brave, c'est tout. Il a tenté de nous aider. Je n'aurai pas la conscience tranquille avant de savoir ce qu'il est advenu de lui.

— Ça fait trois semaines que nous remuons ciel et terre pour retrouver sa trace. On a frappé à toutes les portes, Mekki.

— Continuons.

— Avec qui ? La police ? La gendarmerie ? Ils s'en contrefichent. Un inspecteur m'a même conseillé de laisser tomber. Selon lui, seuls les Services se permettent de débarquer chez les gens au milieu de la nuit pour les jeter dans un coffre de voiture et les faire disparaître de la surface de la terre. Tu veux te mettre les Services sur le dos, Mekki ?

Appuyé contre la balustrade, les bras croisés sur la poitrine et le visage fermé, le chef de la Kasma écoutait en silence les deux frères sur la véranda. Il leva la tête sur le soleil couchant.

— Il est temps pour moi de rentrer, dit-il.

— Dois-je comprendre que tu abandonnes les recherches, Sy Hafid ? s'alarma Mekki.

— Rassure-toi, mon ami. Je retrouverai mon instituteur même si je dois retourner tous les charniers de la région.

— Tu penses qu'il est mort ?

Le chef de la Kasma ne répondit pas.

— Pourquoi agit-il de la sorte, le *mouhafed* ? déplora Issa. Il a tout ce dont rêve un homme.

— Il y a trois choses qui ne connaissent ni satiété ni retenue, dit Hafid avec chagrin. Plus tu en acquiers et plus tu en réclames.

— Quelles sont-elles ? lui demanda Mekki.

— La gloire, le pouvoir et l'argent. Et le *mouhafed* les veut tous les trois.

Sur ce, il salua les deux frères, monta dans sa Panhard et quitta la ferme.

Mekki et Issa demeurèrent interloqués sur la véranda.

— Je veux que tu partes à Alger voir notre cousin, fulmina l'aîné.

— Il faut lui laisser du temps, voyons. Ce n'est qu'un cuistot. Ce n'est pas parce qu'il dresse la table du président qu'il peut s'asseoir sur ses genoux.

— Je veux que tu ailles le voir, sinon, c'est moi qui irai.

— Dans ta chaise d'infirme ?

— En rampant, s'il le faut.

Hadda, qui tendait l'oreille derrière une tenture, leva la *fatiha* et implora le ciel d'épargner sa famille.

Adem avait mal partout ; ses gencives enflaient, ses doigts ne distinguaient plus ce qu'ils effleuraient. Depuis qu'on l'avait jeté dans cette basse-fosse, il n'avait eu droit ni à la lumière du jour ni à une bouffée d'air libre. Il n'en pouvait plus de renifler la couverture afin de filtrer la puanteur ambiante, d'arpenter sa cage, de soliloquer dans le noir. Il ignorait depuis combien de semaines il était là, à patauger dans ses vomissures. Hormis le geôlier, qui lui apportait la même soupe indigeste une fois par jour, personne ne venait l'interroger, ou le torturer, ou lui expliquer pour quelles raisons on le détenait au sous-sol d'un sordide poste de police. Parfois, dans un accès de folie, Adem se jetait contre la grille en hurlant. On le laissait s'égosiller jusqu'à ce qu'il s'affaisse.

— *Hé !*

Adem eut du mal à ouvrir les yeux. Il chercha dans le noir d'où provenait la voix qui l'interpellait.

— *C'est toi, Mika ?*

— *En plein dans le mille.*

Adem se mit sur son séant en geignant. Il tremblait de fièvre.

— *J'ai froid.*

— *Tu as toujours été en froid avec toi-même, mon ami. Si tu m'avais écouté, tu ne serais pas là à croupir au milieu de tes crottes. Tu n'étais pas bien avec moi ? On avait un abri où personne ne nous cassait les pieds, une piscine naturelle, l'insouciance et la liberté. On mangeait à notre faim et on se fichait du monde entier.*

— *Sors-moi de là, Mika. Je ne veux plus être seul.*

— *Et tu me suivrais les yeux fermés ?*

— *Oui…*

— *Partout ?*

— *Où ça te plaira.*

— *Et quand nous aurons fait le tour de toutes les questions pour n'en retenir qu'une seule et unique réponse, est-ce que nous irons sur la plage voir de nos propres yeux la mer fumer au soleil ?…*

— *Oui.*

— *Et que ferons-nous lorsque la mer sera totalement asséchée, Adem ?*

— Ce que tu voudras, Mika, ce que tu voudras.

— Eh bien, je vais te dire ce que nous ferons une fois la mer asséchée… Lorsqu'il ne restera pas une goutte d'eau au fond des abysses, lorsqu'il n'y aura que des rochers embrumés au milieu du corail et du sable brûlant, lorsque tout sera blanc devant nous, nous retrousserons nos pantalons par-dessus nos genoux et nous marcherons sur le sel des oublis jusqu'au bout de toute chose en ce monde. Et alors seulement nous deviendrons nos propres dieux. Nos prières, nous ne les adresserons qu'à nous-mêmes. Nous n'aurons même pas besoin de les exaucer puisque nous n'aurons qu'à tendre la main pour décrocher les étoiles…

Adem émergea de son apnée. Il avait fait sous lui.

Des voix lui parvinrent à travers un brouhaha feutré : « Putain, ça schlingue. » Les murs tanguaient au ralenti, peuplés d'ombres furtives. « Il est trop faible pour tenir sur ses jambes… Soulevez-le… Doucement, doucement… » Adem eut le vague sentiment qu'on le traînait le long d'un tunnel. *Sortez-moi de là. Ne me laissez pas seul.* « Ton cauchemar est fini », lui répétait une voix lointaine. On le sortit dans la rue. L'air du dehors lui brûla la poitrine. Il perdit connaissance au moment où on le poussa dans une voiture. *Je ne veux plus être seul.* « Tu n'es plus seul. On est là pour toi. » Trou noir. Lumière. *Je ne veux plus être seul.* « Qu'est-ce qu'il dit ? – Il délire. » Trou noir. Des lampadaires défilaient de part et d'autre de la chaussée. Adem avait la tête qui tournait. Son ventre se contracta violemment et il vomit sur ses genoux. « Ce n'est pas grave, lui souffla-t-on. Nous avons des vêtements propres pour toi. Nous t'emmenons prendre un bain. Après, nos médecins s'occuperont de toi… »

19.

Adem ne recouvra un peu de ses sens qu'après une semaine de soins intensifs dans l'infirmerie d'une caserne. Un soir, on le conduisit dans une salle où trois hommes en costume anthracite l'attendaient. On l'invita à s'asseoir à une table chargée de victuailles. L'endroit était lugubre, avec un plafond bas bariolé de salpêtre et des murs nus badigeonnés gris pâle. Des rubans d'attrape-mouches pendaient du plafond, grêlés de cadavres d'insectes.

— Ne faites pas attention à nous et mangez. Vous avez besoin de reprendre des forces.

Adem porta un bout de pain à sa bouche.

— Commencez par la *chorba* tant qu'elle est chaude, lui conseilla-t-on.

Adem but à grandes gorgées le bol de soupe, dévora le quartier de viande qui garnissait une purée de pommes de terre, vida la moitié d'une carafe d'eau et s'attaqua dans la foulée à la corbeille de fruits.

— Allez-y doucement, monsieur. À cette cadence, vous risquez une indigestion.

— Je peux avoir une cigarette ?

On lui en alluma une avec un briquet. Adem aspira la première bouffée, les yeux révulsés, enchaîna avec âpreté sur les suivantes jusqu'à sentir ses tempes fourmiller.

— Ça va mieux, maintenant ?

Adem acquiesça.

On lui versa une tasse de café et on le laissa fumer en paix. Un jeune homme aux lunettes cerclées d'écaille attendit patiemment qu'Adem écrase sa cigarette dans le cendrier pour passer aux présentations :

— Je suis le sous-lieutenant Redouane, et voici les sergents Lamine et Boudjema… Nous sommes de la Sécurité militaire.

Adem posa sa tasse de café sur la table.

— Puis-je avoir une autre cigarette ?

On lui en offrit un paquet.

— Le *mouhafed* a fait du tort à beaucoup de gens, poursuivit l'officier. Alger l'a convoqué pour lui régler son compte. Nous avons pour mission de constituer un dossier à charge afin de clouer définitivement le bec à ce vautour. Nous avons déjà recueilli pas mal de plaintes contre lui et nous avons besoin de votre déposition.

— Je veux partir d'ici.

— Ce monstre vous a affamé, humilié et enterré vivant dans un trou durant quarante-cinq jours, sans motif.

— Est-ce que je risque de retourner en prison si je ne coopère pas ?

— Non, mais ce serait dommage.

— Dans ce cas, laissez-moi m'en aller.

L'officier ôta ses lunettes, souffla sur les verres, les essuya laborieusement avec un mouchoir. Il dit, la tête baissée :

— Vous êtes encore en état de choc. Nous allons vous laisser vous reposer. Un bon sommeil vous fera du bien. On reparlera de tout ça, demain matin.

— Je ne suis pas en état de choc et je ne crois ni dans la justice du ciel ni dans celle des hommes. Je veux m'en aller, et tout de suite.

Il y avait du monde autour de l'étable : le chef de la Kasma, deux ouvriers enturbannés, un vétérinaire, Issa et Mekki dans sa chaise. Tous regardaient trois employés de la municipalité décharger du camion les deux vaches laitières que les Benallou venaient d'acquérir.

— Attention à ne pas les blesser, répétait sans cesse le vétérinaire, un grand échalas voûté. Ne les bousculez pas. Laissez-les avancer d'elles-mêmes sur la rampe.

De la cuisine, Hadda observait le remue-ménage autour de l'étable en récitant des versets. Depuis qu'on lui avait appris que le *mouhafed* avait été relevé de ses fonctions pour être traduit devant le Conseil de la révolution, elle ne faisait que prier.

Mekki savourait pleinement l'instant. L'odeur du bétail et du foin, que les ouvriers répandaient dans la mangeoire, le grisait. Il avait hâte d'entendre les meuglements exorciser le silence qui rendait l'isolement de la ferme plus angoissant que ses hantises à lui, hâte de revoir ses vergers de nouveau en liesse, de guetter les camionnettes qui viendraient de très loin s'approvisionner chez lui.

— Je suis très content pour toi, lui dit le chef de la Kasma.

— Tu nous as beaucoup aidés, Sy Hafid. Je t'en saurai gré jusqu'à la fin de mes jours.

— Et tu comptes vivre jusqu'à quand ?

On éclata de rire autour de l'étable, de bon cœur car il faisait beau, ce jour-là, et tous les rêves semblaient permis.

L'un des deux chiens de la ferme cessa de se rouler dans la poussière et se mit sur ses pattes, les oreilles dressées. Une fourgonnette venait de s'arrêter derrière le mur de clôture du domaine. Un homme en descendit, un énorme cabas sur l'épaule.

— Je crois que tu as de la visite, Sy Mekki, dit un ouvrier en montrant du menton l'individu qui s'approchait en claudiquant.

— Ce n'est pas possible, s'écria Issa. Est-ce lui ou bien son fantôme ?...

— C'est bien lui, confirma le chef de la Kasma. Il est revenu.

Hadda sentit son cœur s'affoler lorsqu'elle reconnut Adem.

Pour fêter le retour de l'instituteur, les frères Benallou invitèrent à leur table le chef de la Kasma, le vétérinaire, les trois employés de la municipalité et les deux ouvriers.

Pour une fête, ce fut plutôt une veillée funèbre.

Les frères Benallou s'étaient réjouis trop vite. Adem n'était plus l'homme qu'ils avaient connu. Il avait le regard fixe, dérangeant. La peau blafarde sur les os, la misère du monde sur la figure, on aurait dit un rescapé d'outre-tombe. Son mutisme et son opacité installèrent une gêne intenable autour de la table.

— Mon frère et moi avons décidé de recruter du personnel pour remettre de l'ordre dans la ferme, hasarda Issa afin de détendre l'atmosphère. Sy Mourad, le vétérinaire, va nous donner un bon coup de main.

— Je passerai de temps en temps ausculter vos bêtes, promit le vétérinaire.

Adem n'écoutait pas, n'entendait rien. Retranché derrière son air hagard, il surveillait le fond du couloir dans l'espoir d'entrevoir la silhouette de Hadda.

Le vétérinaire fut le premier à rentrer chez lui. Il remercia son hôte pour son hospitalité et s'excusa de devoir se retirer car, prétexta-t-il, il avait une inspection à effectuer le lendemain. Issa le raccompagna jusqu'à sa voiture, une vieille Dauphine encrottée, lui glissa un billet de banque dans la main et le libéra. Ensuite, ce fut le tour des employés de la municipalité de prendre congé. Ils proposèrent aux deux ouvriers de les emmener avec eux, ce que ces derniers acceptèrent volontiers ; tous les cinq sautèrent dans le camion communal et disparurent dans la nuit.

— Si tu es fatigué, tu peux aller te coucher, suggéra Issa à l'instituteur.

— Je ne suis pas fatigué… Et j'ai toute ma tête, maugréa Adem.

— Personne n'a pensé le contraire.

— Je suis un traitement lourd et compliqué, c'est tout. J'ai un peu de migraine, mais ça va passer… Est-ce que je peux avoir du café ?

— Je vais t'en chercher, dit Issa en quittant avec empressement la table.

Hafid toussota dans son poing. Sans regarder le revenant, il lui demanda quels étaient ses projets. Adem tourna plusieurs fois la question dans son esprit, comme s'il n'arrivait pas à en saisir le sens. Un moment, on le crut parti très loin, puis il revint sur terre :

— Je croyais que tu avais besoin d'un instituteur.

— Tout à fait.

— Alors, pourquoi tourner autour du pot ?

Issa revint avec une cafetière et des tasses. Il servit l'instituteur en premier. Sa main tremblait.

Adem s'adressa à Mekki :

— Ça t'ennuierait, si je restais quelque temps dans ta ferme ?

— Après ce que tu as enduré pour moi, tu peux me demander ce que tu veux.

— Je voudrais continuer d'occuper la bicoque jusqu'à ce que je trouve un logement dans les parages.

— Où comptes-tu trouver un logement par ici ? Les hameaux alentour sont des tribus hostiles aux étrangers. Tu peux occuper la bicoque autant que tu voudras. Tu es un membre de la famille, désormais.

Adem porta sa tasse à sa bouche et n'ajouta pas un mot.

— Que va-t-il advenir du *mouhafed* ? s'enquit Issa, pour changer de sujet. Tu penses qu'ils vont le fusiller ?

— En tous les cas, certifia Hafid, on n'est pas près de le revoir traîner ses guêtres par ici.

— À ton avis, c'est notre lettre au président qui a provoqué sa chute ? demanda Mekki à son frère cadet.

— Mais non, fit Issa. Le cousin n'a jamais remis quoi que ce soit au président. Il n'était même pas le cuistot attitré qu'il prétendait être. Il galérait dans un parc à autos militaires et empestait le carburant à des kilomètres.

— C'est une dame qui est à l'origine du limogeage du commissaire politique, expliqua Hafid. Le *mouhafed* a cherché à la spolier de sa fabrique d'outillage domestique. Ce fut l'abus de trop. Il s'est avéré que la dame en question n'était pas n'importe qui.

Adem touillait machinalement son café. Ses mâchoires vibraient dans son visage, tel un engrenage grippé. Las d'attendre que Hadda vienne débarrasser, il fit exprès de pousser du coude son assiette qui se brisa par terre.

— Laisse, lui dit Mekki. Ma femme va s'en occuper.

— Il n'en est pas question. C'est moi qui casse, c'est moi qui ramasse. Je vais chercher un seau et une serpillière.

Sans en demander la permission, il fonça dans le corridor. La discussion autour de la destitution du commissaire politique reprit. Issa voulait savoir qui était la dame en question, si elle était de Tlemcen, si elle était veuve ou mariée. Hafid lui avoua qu'il ne la connaissait pas personnellement, et que, selon des sources bien informées, elle était riche et très influente…

Hadda lavait la vaisselle dans la cuisine, perdue dans ses pensées. Son cœur bondit d'effroi lorsqu'elle surprit Adem debout derrière elle.

— Tu m'as fait une de ces peurs, chuchota-t-elle, la main sur la poitrine.

— Je viens de faire des dégâts. J'ai besoin d'un seau et d'une serpillière.

— J'ai entendu. Je nettoierai après.

Il la saisit par les épaules.

— Je suis revenu pour toi. Tout ce que j'ai subi en prison, c'était pour toi.

Hadda jeta un regard effarouché vers le couloir.

— Tu es fou ou quoi ? Retourne à ta place. Ils vont penser quoi, mon beau-frère et le responsable FLN ?

— J'ai à te parler.

— Je ne veux rien entendre.

— Je n'ai pas arrêté de penser à toi dans le noir, dans la douleur, dans la peur. C'est ton souvenir qui m'a aidé à tenir tout au long de ces jours plus sombres que la nuit. Je ne veux plus vivre comme je vis, seul et sans repères. Tu es tout pour moi. Tu es ma pensée, ma respiration, ma raison de croire que la chance m'ouvre enfin ses bras.

Cette voix !... monocorde, détimbrée et caverneuse... ce regard absent, vitreux, terrifiant... cette haleine de fauve ! On eût dit un être surgi du fin fond des ténèbres. Hadda en était aussi tétanisée que lorsqu'il avait tenté de la posséder, l'autre soir.

Elle se ressaisit et lui posa la main sur la bouche, à l'affût d'un bruit de pas dans le couloir.

— Va-t'en, s'il te plaît.

— J'ai promis que si je sortais de la basse-fosse dans laquelle on m'avait enterré vivant, je t'aiderais à te libérer de cette chose qui moisit sur sa chaise d'invalide.

— Tu n'as pas le droit de parler de mon mari de cette façon.

— Ton mari ?... S'il avait un minimum d'estime pour toi, il ne te retiendrait pas en otage. Il n'est même pas capable de te rendre heureuse.

— Où vois-tu que je suis malheureuse ?

— Dans tes yeux, sur ta bouche qui ne sourit jamais, dans l'ombre que tu es en train de devenir. Un jour, tu te rendras compte que les années ont passé. Ce jour-là, tu te demanderas ce que tu as fait de ta vie et tu t'entendras soupirer : Quelle vie ?

— Mekki est ma vie.

— Il n'est que ton agonie.

— Rejoins les hommes, s'il te plaît. Sinon, je vais crier.

Adem retrouva le remugle de la bicoque, le lit geignard, la lanterne écaillée sur le caisson qui lui servait de table de chevet et le froid silence des solitudes. Il ouvrit le grand cabas rapporté de la caserne (à l'intérieur duquel s'entremêlaient des vêtements, une paire de chaussures, deux bouteilles d'alcool dans leur boîte, des paquets de cigarettes de marques différentes), en extirpa un sachet d'anxiolytiques subtilisés à l'infirmerie.

Il avala un comprimé, se déshabilla, s'allongea sur le lit, nu de la tête aux pieds, puis, le souffle ralenti, il pensa à Hadda, et tout ce qui était autour de lui s'évanouit.

— Tu n'as eu qu'une femme dans ta vie et tu n'as pas su la garder, lui chuchota le Malin dans l'oreille. Comment comptes-tu t'y prendre avec les autres ?... La femme est un temple aux trésors piégés, bonhomme. Elle ne livre ses codes qu'aux explorateurs chevronnés. Malheur à celui qui la prend pour une petite nature alors qu'elle est l'essence de toute chose en ce monde. Elle est le filon et la trappe dérobée ; elle est ce miroir dans lequel les hommes n'ont jamais su regarder.

— Tu ne m'apprends rien.

— Prétentieux ! Qu'as-tu retenu de ce qu'elle t'a dit, tout à l'heure ?

— Ça ne te regarde pas.

— Tu veux cette malheureuse ?

— Oui, je la veux.

— Commence d'abord par intercepter ses signaux. Elle t'a envoyé un câble, *tute tu-tu-tute tu-tu-tute*, mais ton morse est défaillant. Reviens un peu sur ce qu'elle t'a dit. *Retourne à ta place. Ils vont penser quoi, mon beau-frère et le responsable FLN ?*... Elle a parlé de son beau-frère et du chef de la Kasma, mais pas de son époux. Tout est dans la subtilité de cette omission. C'est clair comme l'enfer. Pour cette femme, son mari n'est qu'un fantôme. Si tu n'as pas déchiffré le message, c'est que tu es un abruti fini. Et devant un abruti, on étalerait toutes les splendeurs de la terre, il n'y verrait que du feu.

Adem éteignit la lanterne.

20.

Le matin, Hafid vint chercher l'instituteur pour l'emmener au hameau des Ouled Lahcène. La rentrée des classes fut un moment émouvant. Les Anciens étaient tous là, à l'exception du patriarche qui était souffrant et de *haj* Menouar qui boudait la cérémonie. Même les femmes, en retrait sur une butte, avaient tenu à être de la « fête ».

Beaux dans leurs tabliers d'écoliers flambant neufs, les élèves – tous des garçons – sentaient le savon et le benjoin des conjurations. Lorsque l'instituteur les fit entrer dans la classe, leurs parents restèrent à proximité de l'« école » jusqu'à la fin des cours comme s'ils s'attendaient à voir leurs rejetons en sortir totalement transformés.

Le chef de la Kasma ne pouvant servir de chauffeur tous les jours, la tribu chargea Tayeb, un pied-bot, d'assurer la navette de la ferme au hameau avec sa charrette. Le matin, à 8 heures pile, il pointait devant la bicoque de l'enseignant. Après les cours, il le reconduisait chez lui.

Les élèves firent montre d'une étonnante assiduité. Au début, le crissement de la craie sur le tableau leur faisait mal aux dents, mais ils s'y habituèrent très vite. Leurs chants syncopés se mirent à retentir jusqu'aux confins du maquis... *Deux fois un - Deux ; Deux fois deux - Quatre ; Deux fois trois - Six ; Deux fois quatre - Huit...*

À la ferme, la vie reprenait. Mekki avait recruté trois bergers de chez Ouled Lahcène pour s'occuper des vaches et des vergers. Ils arrivaient aux aurores, tantôt à pied, tantôt sur un âne, et regagnaient leur douar à la tombée de la nuit.

Adem prenait ses repas dans la salle à manger. À cause de Hadda qui refusait de s'aventurer du côté de la bicoque. Mekki, lui, était ravi d'avoir de la compagnie. Il confiait à l'instituteur ses projets, lui racontait les épreuves qu'il avait surmontées après son accident et jurait sur la tête de ses morts que le domaine de ses ancêtres retrouverait son lustre d'antan. Afin de rester à proximité de Hadda, Adem ne ratait aucune occasion de se rendre utile, remplissant des formulaires et constituant des dossiers de prêts bancaires et de demandes de subventions pour les Benallou.

La nuit, lorsque les lumières s'éteignaient dans la maison d'en face, Adem ingurgitait ses anxiolytiques et, qu'il vente ou qu'il pleuve, il sortait de son terrier et s'approchait de la fenêtre derrière laquelle dormaient les époux. Il les imaginait côte à côte sous la couverture et leur en voulait d'aggraver ses insomnies.

Tous les soirs, il espérait voir la silhouette de Hadda s'imprimer sur les rideaux de la salle de bains, mais Hadda avait poussé la cruauté jusqu'à fermer les volets. Un dépit atroce s'emparait de lui, et tout ce qu'il détestait lui revenait à la figure.

Durant ses retraites opiacées, Adem se voyait pourchassant Hadda à travers un champ rouge de coquelicots, heureux comme un adolescent qui s'éveille aux choses de l'amour. Hadda courait en relevant l'ourlet de sa robe au-dessus de ses genoux. Leurs rires retentissaient dans l'air plus haut que le cri des oiseaux. Puis, essoufflés, ils tombaient dans les bras l'un de l'autre. Elle se blottissait contre lui, l'embrassait fougueusement sur la bouche. Et lui, ivre de bonheur, la renversait sur les fleurs et la possédait en hurlant comme si c'était lui qu'on possédait.

Certaines nuits, il imaginait la porte de la bicoque s'ouvrir d'un coup, et Hadda, nue de la tête aux pieds, les seins beaux comme deux soleils naissants, illuminer le taudis. En ces moments, il refusait de croire qu'il était en train de fantasmer. Il percevait nettement le souffle de Hadda contre sa nuque, la brûlure savoureuse de ses lèvres sur les siennes, les vibrations de son corps exalté contre le sien, ses gémissements supplantant les bruits de la terre entière. Adem se laissait happer par son orgasme, pareil à une feuille prise dans un tourbillon, et s'endormait alors épuisé et comblé à la fois.

Se produisit un incident…

Pendant que l'instituteur et son hôte dînaient dans la salle à manger, Mekki avala de travers. Les yeux exorbités et la bouche grande ouverte, il se mit à s'agiter et à balayer de son bras tout ce qui trouvait à sa portée sur la table, envoyant au sol assiettes, carafe, bols. Alertée par le bris, Hadda arriva en courant. Croyant son mari victime d'une crise cardiaque, elle se mit à hurler.

Adem ceintura l'infirme, le souleva de sa chaise et lui pressa fortement le plexus jusqu'à ce qu'il rejette le morceau de viande qui l'étouffait.

Terrassé, Mekki s'évanouit.

On le transporta dans sa chambre et on le mit au lit.

Avant de se retirer, Adem apostropha Hadda :

— Tu vas passer ta vie à mourir de frayeur pour lui ?

En regagnant la bicoque, Adem était hors de lui. Hadda n'avait pas daigné lui répondre ; elle ne l'avait pas même remercié pour son aide sans laquelle Mekki aurait succombé. Elle s'était contentée de secouer le menton de gauche à droite comme si elle le plaignait.

Adem avala deux comprimés à la fois pour se calmer. Il se jeta sur son lit comme du haut d'une falaise, les mâchoires crispées pour contenir le cri qui sourdait dans ses entrailles...

— Sais-tu à quoi on reconnaît un abruti ? lui chuinta le Malin, tapi dans une encoignure. À sa manie de s'éborgner en voulant souligner au khôl ses cils. La providence vient de te tendre la perche, et toi, tu t'assieds dessus. Pourquoi ne l'as-tu pas laissé crever ? Il était en train de rendre l'âme comme un poisson hors de l'eau. Qu'est-ce qu'il t'a pris de jouer au héros ? Il fallait juste laisser faire le sort. Le cul-de-jatte mort, Hadda te serait revenue d'office et ta chienne de vie aurait retrouvé un sens.

— Tais-toi.

— Espèce d'imbécile.

— Tais-toi, sale hibou, tais-toi, tais-toi.

Adem s'empara d'un broc et le balança de toutes ses forces sur le Malin qui s'éclipsa dans la pénombre avant que le broc n'atteignît le mur.

Ce fut ce soir-là que l'agent dormant qui attend son heure en chacun de nous, l'entité pernicieuse et fourbe qui fait celle qui n'est pas là pour mieux nous prendre de revers, le monstre implacable qui se nourrit de nos frustrations et de nos rancœurs inassouvies, surgit dans toute sa splendeur diabolique des zones d'ombre de l'instituteur et se substitua à son être, le rendant étranger à lui-même, et Adem laissa, avec une sorte d'allégeance, le relent calamiteux de la damnation empuantir son âme.

Adem retourna chez Mekki afin de prendre de ses nouvelles. En réalité, c'était un prétexte pour revoir Hadda. Cette dernière se tenait au chevet de son mari, abasourdie. Pour la réconforter, Adem l'assura qu'elle n'avait pas à s'inquiéter, que son mari ne risquait rien, qu'il avait seulement avalé de travers.

Elle le pria de s'en aller.

Lorsqu'ils arrivèrent dans le vestibule, il lui confia :

— Ce n'étaient pas des mots en l'air, ce que je t'ai dit tout à l'heure. Tu ne mérites pas de moisir dans l'ombre d'un mort-vivant.

Hadda était trop peinée pour se prêter aux insinuations de l'instituteur.

— J'ignore si tu es ivre ou fou, mais il se fait tard et je suis fatiguée.

— Pourquoi réponds-tu à côté ? Je te parle de l'existence que tu mènes avec ce cadavre sursitaire. (Il l'attrapa par les épaules lorsqu'elle lui tourna le dos et la fit pivoter pour qu'elle le regardât en face). Ne te défile pas comme ça. Que comptes-tu retrouver en regagnant ta chambre ? Un fantôme ou bien ton malheur ?

— Lâche-moi.

Il l'attira vers lui.

— Dieu ne peut pas nous reprocher ce qui est au-dessus de nos forces.

Des larmes de rage impuissante miroitèrent dans les yeux de Hadda.

— Pourquoi me persécutes-tu ? Parce que je suis seule et désemparée ? Tu oserais lever les yeux sur moi, si mon mari avait la santé ?

— Je sais que tu en as autant envie que moi.

— Je n'ai envie de rien. Va-t'en, s'il te plaît.

— Où veux-tu que j'aille ? C'est pour toi que je suis revenu d'entre les morts. Je ne partirai nulle part sans toi.

Elle le repoussa contre le mur.

— Sors de chez moi. Va au diable, va où tu veux, mais va-t'en.

— Ta place est avec moi, pas avec cet infirme.

— Cet infirme est mon mari. Je ne salirai pas son honneur.

— Qu'est-ce que l'honneur, Hadda ? À quoi tient-il ? Ce n'est qu'une contrainte chimérique qu'on érige en vertu absolue pour s'autoflageller.

— Je ne comprends pas ce que tu dis.

Il l'embrassa sur la nuque. Elle le mordit et le projeta contre une vieille commode dans le vestibule.

— Ta morsure trahit ta faim, Hadda. Avoue que tu as envie de moi. Pourquoi te voiler la face ?

— Je suis mariée.

— Je l'ai été, moi aussi.

— Ton histoire n'est pas la mienne.

— T'arrive-t-il de réfléchir deux secondes ? Cet épouvantail te prive de ta propre histoire. Ne te sous-estime pas. Tu mérites mieux. Tu mérites d'être heureuse, et comblée, et aimée. Je t'aime, Hadda. Je suis fou de toi. Partons loin de ce qui nous a été confisqué. Je te promets que tu ne le regretteras pas. Ma femme l'a fait, elle. Et elle avait raison. Nul n'est obligé de gâcher sa vie dans l'ombre d'un autre.

— Je ne suis pas cette femme.

Elle le bouscula hors de la maison et referma la porte à clef.

Accablée par la peur, la colère et le désespoir, Hadda glissa contre le mur jusqu'au sol, enfouit la tête entre ses genoux et éclata en sanglots tandis qu'Adem la suppliait de lui ouvrir.

Les élèves remarquèrent que le maître était livide, silencieux et triste, que les cernes lui pochaient les paupières comme des ecchymoses. Cela faisait plus d'une heure qu'il contemplait la colline, assis derrière son bureau, la tête tournée vers la fenêtre, les doigts enchevêtrés sous le menton.

Adem sursauta lorsqu'un garçon lui demanda la permission d'aller « au p'tit coin ». Pendant quelques secondes, il demeura hébété avant de s'apercevoir que toute la classe le regardait d'une drôle de façon.

— Ouvrez vos cahiers et révisez le cours d'hier. Je reviens.

Manquant d'air, Adem marcha jusqu'à un affaissement de terrain donnant sur la plaine et se laissa choir sur une pierre. Des corbeaux tournoyaient dans le ciel. En contrebas de la colline, des moutons paissaient sous la garde rapprochée d'un chien.

Tayeb le pied-bot vint s'asseoir à côté de l'instituteur.

— Tu veux rentrer à la ferme ?

— Je n'ai pas fini mes cours.

— Oui, mais tu m'as l'air mal en point. Je ne t'ai pas trouvé en forme en venant te chercher ce matin. J'ai même pensé que tu étais souffrant.

Adem jeta le pouce par-dessus son épaule pour montrer *haj* Menouar accroupi au pied d'un arbre. Ce dernier ne le quittait pas d'une semelle depuis la « rentrée », épiant ses moindres faits et gestes.

— C'est cet énergumène qui me rend malade en me suivant à la trace comme une hyène.

— Ah... Oui, j'ai remarqué... *Haj* Menouar n'était pas comme ça, avant. Je crois qu'il est en train de perdre la tête. Depuis que sa fille a fugué avec l'infirmier arabe qui assistait le docteur Botev, il en veut au monde entier...

— Comment ça ?

— Avant, le docteur Botev, une Bulgare, venait une semaine sur deux au douar ausculter les enfants et soigner nos malades. Elle parlait mal le français et pas un mot d'arabe. Hocine était en même temps son infirmier et son interprète. On ignore comment il a approché Batoul, la fille de *haj* Menouar. Il a demandé sa main, mais Batoul était promise à son cousin. Alors, Hocine l'a enlevée. Avec le consentement de la fille, sans doute. Batoul ne se serait pas volatilisée en pleine nuit si elle n'avait pas été d'accord. Le benjamin des fils de Menouar et le cousin offensé sont partis à la recherche des deux tourtereaux, il y a plus de cinq mois. Ils n'ont pas intérêt à rentrer bredouilles.

— Ils vont les trouver, tu crois ?

— Ils les retrouveront et ils les tueront tous les deux.

— Les tuer ?

— Ben, c'est la règle, chez nous.

Tayeb déterra un caillou qu'il soupesa dans le creux de sa main avant de l'envoyer au loin.

— Si tu ne te sens pas bien, ne te gêne pas. Ma charrette est prête.

— Ce n'est pas la peine.

— Tu es sûr ?

Adem ne répondit pas.

Le charretier sortit de sa poche une boîte de tabac à chiquer, en prit une pincée qu'il plaça sous sa lèvre et s'essuya les doigts sur son pantalon.

— Tu as des filles, *oustad* ?

— Ni filles ni garçons.

— Ça va venir. Ma grand-mère a mis sept ans pour avoir mon père. Et puis, il y a les marabouts. Une modeste offrande, et ils accomplissent des miracles.

En bas de la colline, des fillettes couraient derrière une chèvre. Le berger les surveillait, la main en visière.

— Quand est-ce qu'elle va te rejoindre, ta femme ?

— Elle ne me rejoindra pas.

Tayeb hocha le menton.

— Je vois. Les citadines ont horreur de la vie rurale. Je me demande ce qu'elles trouvent d'attachant en ville où tout le monde est étranger à tout le monde. Chez nous, personne ne peut se passer de l'autre. On se serre les coudes. On peut flâner dans les bois à des heures impossibles, dormir à la belle étoile et laisser nos portes ouvertes en toute sécurité. Hormis le braiment des ânes, on se croirait au paradis.

Les fillettes dépassèrent la chèvre et continuèrent de courir vers un bosquet. Le berger les héla ; d'une main autoritaire, il leur fit signe de rebrousser chemin.

— Comment comptes-tu te débrouiller sans ta femme ? Faut bien que quelqu'un s'occupe de toi.

— Ma femme est partie.

— Ah…

Tayeb ramassa une motte de terre et entreprit de l'effriter entre ses doigts.

— Tu l'as répudiée ?

— Non. Elle a pris ses cliques et ses claques et elle est partie je ne sais où.

— Comment ça ? sursauta Tayeb, éberlué.

— C'est pourtant clair. Ma femme en a eu marre de moi, et elle a quitté la maison. De son plein gré.

Tayeb fronça les sourcils comme s'il cherchait à résoudre une énigme, avant d'éclater de rire.

— Toi, alors ! Tu parais sérieux même quand tu plaisantes.

— Je ne plaisante pas.

— Arrête de me faire marcher. Aucune femme ne peut s'en aller comme ça. Sa propre famille la renierait et elle n'aurait nulle part où se poser.

— Pas toutes, mon ami, pas toutes.

Tayeb se remit à effriter la motte de terre, en dévisageant de guingois l'instituteur. Lorsqu'il ne resta qu'une fine couche de poussière entre ses doigts, il se gratta derrière l'oreille, déconcerté.

— Tu l'as laissée partir sans broncher ?

— Oui… Une femme a le droit de se défaire d'un homme qui la déçoit, ou qui la maltraite, ou bien qui la retient en otage. Elle doit vivre sa vie comme elle l'entend. Elle n'a pas à sacrifier son bonheur pour qui que ce soit.

— Et ton honneur ?

— Je l'ai enfoui dans un sac, avec mes slips et mes tricots de peau, et j'ai pris la route.

— Tu es encore en train de me faire marcher. C'est vrai, les gens de la ville ont de drôles de mœurs, mais, que l'on vive parmi les siens ou ailleurs, on tient à son honneur. Les Anciens disent qu'un homme sans honneur n'a ni âme ni ombre.

— L'honneur ne résout pas tout.

— Je suis sûr que ta femme est morte pendant la guerre. Ou bien tu l'as chassée parce qu'elle te désobéissait. Ou peut-être parce qu'elle était stérile.

Adem mesurait l'ampleur du séisme qu'il était en train de provoquer dans l'esprit du charretier, mais le besoin d'exorciser les chagrins qui infectaient son ego était irrésistible. Il ne voulait plus subir le crissement de la charrette en train de s'éloigner dans la nuit, encore moins le friselis des rideaux dans la brise ; il ne voulait plus entendre tinter l'ampoule qui avait grillé par-dessus sa tête le soir où Dalal était sortie de sa vie ni affronter la sentence sans appel de la valise en carton dans le vestibule. Il était convaincu que sa femme avait fait le bon choix, et que Hadda devrait en faire autant.

— Mon épouse est partie rejoindre son amant.

Tayeb se frappa la poitrine avec le plat de la main, catastrophé.

— Quoi ?

— Tu as très bien entendu.

— Et tu dis ça comme ça ?

— Comment veux-tu que je le dise ?

— C'est pour ça que tu es en cavale ? Parce que tu leur as tranché la gorge à tous les deux ?

— Je n'ai tranché la gorge à personne. Et je n'ai même pas cherché à savoir où ils sont allés.

— Ça alors !

Tayeb n'en revenait pas. Il frémit de dégoût lorsque Adem lui posa la main sur le genou, se leva d'un bond, le visage congestionné.

— *Haj* Menouar n'avait pas tort, dit-il, les mâchoires contractées. On ne peut rien attendre de bon d'un monde où l'on a choisi de vivre sans morale et sans interdits.

Il écrabouilla quelques mottes de terre sous ses pieds et s'éloigna en bourdonnant. Furieux. Consterné. Outragé.

Après les cours, Adem ne trouva aucun charretier pour le reconduire à la ferme. Il fut contraint de rentrer à pied.

21.

Un corbillard motorisé était rangé dans la cour de la ferme, à côté de la Panhard du chef de la Kasma.

Adem pressa le pas.

Issa était effondré sur les marches du perron, la nuque ployée. De temps à autre, il se frappait dans les mains en signe de désarroi. Hafid discutait avec le conducteur du corbillard en tentant de lui glisser un billet de banque dans la main.

— Pourquoi ce corbillard ? demanda Adem. On se croirait aux funérailles d'un chrétien.

— Il fait fonction d'ambulance, lui expliqua Hafid. On n'en a pas à Sebdou, alors on se débrouille avec les moyens du bord…

Le conducteur remonta dans le corbillard, manœuvra sur place et rejoignit la piste derrière le mur de clôture.

— Que s'est-il passé ?

— Mekki a eu un malaise, ce matin. Heureusement qu'un livreur de foin était là. Il l'a emmené immédiatement au dispensaire à bord de sa camionnette. Le docteur dit que Mekki a fait un pic de glycémie.

— Mon frère n'est pas diabétique, objecta Issa. Sûr qu'un envieux lui a jeté le mauvais œil. Pour une fois que les choses semblent se remettre en place, voilà que le sort frappe de nouveau. Ce n'est pas juste.

— Est-ce que je peux le voir ?

— Son épouse est en train de le toiletter, s'opposa Issa.

Les trois hommes restèrent autour du perron, à se triturer les doigts en silence. Le soir les trouva dans le même état d'esprit. Les ouvriers qui s'occupaient des vaches enfourchèrent leurs ânes et rentrèrent chez eux.

— Je dois m'en aller, maintenant, dit le chef de la Kasma.

— Moi aussi, dit Issa. Mon bébé était brûlant de fièvre lorsque tu es venu me chercher. Et puis, à quoi servirais-je ? J'ai laissé ma charrette chez moi et je n'ai pas de voiture.

— Je m'en occupe, promit Adem. Si Mekki a un problème, je retournerai à Ouled Lahcène chercher un moyen de transport pour l'évacuer à Sebdou.

Après le départ de Hafid et d'Issa, Adem regagna la bicoque pour se rafraîchir et changer de chemise ; ensuite, il retourna frapper à la porte des Benallou. Hadda ne lui ouvrit pas.

— Je veux juste voir comment il va.

— Il va bien.

Il revint une heure plus tard, après avoir avalé deux comprimés. Hadda refusa de lui ouvrir. Il la menaça, en vain. Dans un accès de colère, il défonça la porte et se trouva nez à nez avec le canon d'un fusil.

— Tu n'as pas intérêt à t'approcher de nous, l'avertit Hadda, debout dans le vestibule, la crosse de la carabine fermement contre l'épaule.

Adem s'attarda sur l'arme sans en évaluer la dangerosité que l'effet des psychotropes rendait à peine perceptible.

— Je viens en ami, s'entendit-il haleter.

— Nous n'avons que faire de ton amitié, mon mari et moi. Va-t'en.

— Tu me chasses, Hadda ?

— Oui, tu vas ramasser tes affaires et dégager de notre propriété. Je vais tout raconter à Mekki. Je vais lui dire quelle sorte d'individu tu es. S'il ne t'arrache pas le cœur, c'est moi qui t'abattrai comme un chien.

— Je ne suis pas un chien, Hadda.

— Tu es pire qu'un chien. Tu es le démon. Comment as-tu osé poser tes mains sur moi ?

— Tu m'as rendu mes baisers, rappelle-toi. Tu t'es accrochée à moi. Tu m'as embrassé et tu m'as laissé glisser les doigts sous ta robe.

— Ta bouche est une plaie purulente.

— Il est des choses qu'on ne peut pas taire. Nous ne faisons rien de mal, Hadda. L'amour est la seule vraie vertu. Toutes les autres ne consistent qu'à nous consigner dans une case. On ne réduit pas un être à une case. Personne ne peut être qu'une seule chose à la fois. Toi non plus, tu ne peux pas être seulement ce qu'on a voulu faire de toi.

— Je ne comprends pas ce que tu radotes. Sors de chez moi, sinon je jure de t'abattre sur-le-champ.

Adem hocha la tête, les mâchoires crispées. Il regarda Hadda dans les yeux en quête d'un possible fléchissement ou d'un semblant de doute, ne rencontra qu'une froide aversion. Hadda avait le visage rigide. Ses yeux étaient aussi glaçants que le canon qu'elle étreignait.

La gorge contractée, il laissa échapper dans un grelot :

— Est-ce que tu l'aimes ?

— Ça ne te regarde pas.

— Ce n'est pas une réponse.

— On n'est pas de la ville, nous. On a le sens du sacré. Chez nous, une femme doit rester auprès de son mari jusqu'à la mort.

— C'est toi qui es à moitié morte, Hadda.

— Et toi, complétement soûl.

— Je ne suis pas soûl. Je suis ivre de toi, de ton corps, de ton amour. Regarde-moi bien en face et jure que tu aimes ce pauvre diable pour lequel tu es en train de gâcher tes plus belles années et les joies qui vont avec ?

Hadda posa le doigt sur la détente.

Adem recula d'un pas.

— D'accord, je m'en vais. Mais tâche d'écouter ton corps, Hadda. Le corps ne ment pas, lui. Cette nuit, je laisserai la porte de la cabane ouverte et je t'attendrai. Je sais que tu me rejoindras. Puisque que tu n'es pas tout à fait morte.

Hadda referma sèchement la porte.

Adem sortit une bouteille de liqueur de son cabas et se mit à boire au goulot. Il n'avait pas avalé une seule goutte d'alcool depuis son arrivée à la ferme. Dans sa tête, des voix écorchées s'invectivaient dans un brouhaha dissonant… « *Elle t'a allumé, abruti. Hadda n'est qu'une allumeuse… — Ce n'est pas vrai. Elle a envie de moi… — Mais non, imbécile, elle se moque de toi… — Elle ne se moque pas de moi… Elle va tout raconter à son mari.*

Et tu sais ce qu'il arrive quand l'honneur d'un mari est bafoué…
— Elle ne dira rien. Elle va venir jusqu'à moi, cette nuit. »

En faction devant la fenêtre, Adem surveillait la maison d'en face. Et buvait, buvait. Chaque gorgée le catapultait d'une brume à l'autre. Les comprimés et l'alcool provoquaient des ravages en lui. Le chahut dans sa tête s'amplifiait, devenait roulis, devenait tapage et sifflements. Adem ne savait plus si c'était la nuit qu'il regardait à travers la fenêtre ou bien sa propre noirceur. Il lui semblait que les carreaux ondoyaient au ralenti, lui renvoyant son reflet déformé.

Dehors, tout avait disparu, les arbres, l'étable, les chiens, l'ululement du vent. Il ne restait que la maison d'en face tel un repère maléfique érigé au milieu des ténèbres.

Lentement, émanant de l'abîme, le faciès hideux du Malin se substitua au reflet de l'instituteur sur la vitre :

— C'est le moment de vérité, mon gars, et il n'y en aura pas d'autre. La décision te revient. Personne ne peut la prendre à ta place.

— Laisse-moi remettre de l'ordre dans mes pensées.

— Parce que tu es censé réfléchir ? Tu ne fais que te chercher des excuses et perdre un temps précieux. Est-ce qu'elle a hésité un instant, Dalal, lorsqu'elle a décidé de sortir de ta vie ? Elle t'a dépossédé de ton orgueil sans se préoccuper de ce qu'il allait advenir de toi.

— Tais-toi.

— Elle t'a émasculé, cocufié et relégué en bas de l'échelle… S'il y avait un trou plus profond, elle t'aurait balancé dedans avec plaisir.

— Vas-tu te taire à la fin ?

— Même un chien défendrait crânement son os. Toi, tu ne bouges pas le petit doigt pour t'emparer de ce qui est à la portée de ta main.

Adem se boucha les oreilles.

— Tu veux Hadda ? le harcela le Malin. Prends-la. Comme on t'a confisqué ton épouse. Enlève-la, emmène-la où tu veux, et arrête de tourner autour du pot.

— Elle m'a menacé avec un fusil.

— Elle n'était même pas chargée, sa foutue pétoire, abruti. Elle n'avait pas peur de toi, elle n'avait pas peur de son mari. Elle avait un choix à faire et avait peur de se tromper. Le fusil, c'était l'épreuve de l'arc qu'elle te soumettait. Il ne fallait pas battre en retraite. Il fallait bomber le poitrail en narguant le canon. De cette façon, tu lui aurais prouvé que tu étais prêt à tout pour elle. Dans quel langage faut-il qu'elle t'explique qu'elle crève d'envie de se tailler loin de cette maudite ferme ? Tu vois, tu ne connais toujours rien aux femmes. La femme est un exercice de haute voltige. Ce qu'elle montre n'est qu'illusion, ce qu'elle déclare n'est qu'allusion.

— Elle n'aurait pas hésité à tirer. Ses yeux étaient pleins de haine.

— Diversion !... Tu t'es focalisé sur l'arme et tu as perdu de vue l'essentiel. Que t'a-t-elle dit, hein ? Que t'a-t-elle télégraphié en morse ? « *Chez nous, la femme doit être auprès de son mari jusqu'à la mort.* » C'est bien ce qu'elle a dit, non ? *Jusqu'à la mort.* Il te faut combien de dessins, monsieur l'instruit ?... Hadda attend que tu la débarrasses de cet épouvantail même pas fichu de se mettre au lit tout seul. Elle en a marre de le toiletter, de le torcher, de paniquer chaque fois qu'il tourne de l'œil, de le gaver de médicaments pour qu'il arrête de râler. Elle n'a pas cessé de t'appeler à son secours. Tous les jours. Toutes les fois où son regard a croisé le tien. Et toi, tu regardes son doigt tandis qu'elle te montre la voie.

— Que dois-je faire ?

— Exactement ce qui te trotte dans le ciboulot à cet instant.

— Ce n'est pas facile.

— Tu l'as fait avec ton oncle.

— Ce n'est pas la même chose.

— C'est la même chose.

— Non, ce n'est pas la même chose, hurla Adem. C'est mon oncle qui voulait en finir. Il m'avait imploré, supplié de le délivrer de ce monde impitoyable. Il n'en pouvait plus de souffrir, et je souffrais autant que lui de le voir faisander dans le mépris et le rejet des siens. Cette nuit-là, j'avais détesté ma main, mon ombre, ma respiration ; j'avais détesté chaque empan de la terre, chaque visage, chaque voix, et j'avais brisé tous les miroirs, résilié tous les serments et maudit les saints et l'humanité entière.

— Je sais que tu l'as fait par amour pour ton oncle. C'était courageux et noble de ta part. Aujourd'hui, fais-le pour l'amour de Hadda. Tu veux cette femme ? Mérite-la, bats-toi pour elle, brave les anathèmes et la damnation, et alors elle te suivra jusqu'en enfer.

Une lumière s'alluma dans la salle de bains aux volets clos, zébrant les interstices de lamelles chauffées à blanc.

— C'est le moment ou jamais, mon gars. Ton égérie se prépare à prendre un bain. Comme une mariée au matin de ses noces. À toi de lui ouvrir un nouveau chapitre et de faire d'elle l'héroïne de ton histoire.

Adem porta le goulot de la bouteille à sa bouche.

— C'est ça, soûle-toi la gueule pour te donner du cran. Tu n'es qu'un trouillard, un pauv' type qui n'ose pas s'affronter dans une glace. Tu comptes peut-être sur elle pour qu'elle vienne t'annoncer *ça y est, je l'ai fait.* Ce n'est pas à elle de le faire. Tu veux que je le fasse pour toi ? Ce ne sont pas mes oignons… Bouge-toi, chiffe molle. Qui ne tente rien n'a rien. Profites-en pendant qu'elle prend son bain et va étouffer cet empêcheur de danser en rond sous un oreiller. Il est déjà cuit. Son cœur lâchera avant qu'il réalise ce qu'il lui arrive. Ça te prendra moins de deux minutes. Puis tu remets l'oreiller là où tu l'as trouvé et tu reviens finir ta bouteille comme si de rien n'était. Hadda croira son mari seulement endormi. Ce ne sera que demain, au réveil, qu'elle se rendra compte qu'elle est enfin libre, qu'elle est enfin à toi.

Adem ne sentait pas le sol sous ses pieds. Il traversa la cour comme un champ de mines. Chacun de ses pas jalonnait un péril ; Adem les négocia, un à un, dans une sorte d'état second. Impossible, pour lui, de rebrousser chemin ou de se ressaisir. Il marchait vers son destin tel un somnambule, les yeux tournés vers l'intérieur de son crâne peuplé d'ombres monstrueuses. Les voix qui le persécutaient s'étaient atténuées, mais le roulis était toujours là, lugubre et régulier, rappelant le tambour des marches funèbres.

Il gravit le perron comme on remonte le temps, le cœur cadençant le pouls des souvenirs brouillons qui ballottaient d'un chagrin à une déconvenue sans s'attarder dessus ; poussa la porte sur d'autres souvenirs imprécis ou peut-être sur des fragments de rêves ravagés par les insomnies, la peur et le déni ; entra dans la maison, les tripes inextricables, la gorge aride, le cœur à l'étroit dans sa poitrine. Le vestibule oscillait devant lui ; les murs se prolongeaient indéfiniment dans des perspectives troublantes ; une ampoule saignait, semblable à une plaie.

Mekki ne dormait pas. Étendu sur le lit, il fixait le plafond, contemplatif. Il n'entendit pas s'approcher Adem, ne réagit pas tout de suite lorsque l'oreiller lui écrasa la figure. Un moment, Adem le crut mort dans son sommeil. Il allait relâcher la pression quand, dans un violent soubresaut, le fermier se cabra comme sous la décharge d'un électrochoc. Adem dut l'écraser de tout son poids pour le neutraliser. Mekki tenta de se dégager en se débattant farouchement ; son infirmité l'empêcha de trouver des appuis. Adem pressa de toutes ses forces sur l'oreiller en esquivant les mains qui cherchaient à l'atteindre au visage. Le lit crissait sous la lutte éperdue des deux hommes. Une carafe s'écrasa au sol.

Au bout d'un effort titanesque, Mekki commença à suffoquer ; ses ruades se mirent à s'espacer, à se disloquer, à désespérer... *Il est en train de partir. Ne lâche pas la pression. Ne lâche rien, c'est bientôt fini...*

Soudain, un coup de tonnerre catapulta Adem contre le mur.

Adem ne comprit pas pourquoi, subitement, le silence absolu, qui suivit la déflagration, mit sous vide toute chose autour de lui. Il porta la main à son flanc. La vue du sang sur ses doigts le dégrisa. En recouvrant ses sens, il vit d'abord Mekki, la bouche ouverte en quête d'une bouffée d'air ; ensuite, debout dans l'embrasure de la porte, nue, les cheveux ruisselants d'eau mousseuse, Hadda qui tenait un fusil. Il regarda de nouveau le sang sur sa main, incrédule, puis la tache rouge en train de suinter sur sa chemise en s'élargissant. Il n'avait jamais supporté la vue du sang. Une peur panique s'empara de lui. Il se rua vers le couloir, percuta un mur, buta contre la commode dans le vestibule, tomba à plat ventre et rampa jusqu'à la véranda, poursuivi par Hadda qui, le doigt sur la détente, semblait prête à rouvrir le feu.

Adem continua de ramper sur les marches du perron, puis sur le cailloutis dans la cour, terrifié, éperdu, les genoux et les coudes écorchés, la poussière dans les cheveux, l'odeur de la poudre sur la figure. Il s'entendait geindre, ou peut-être était-il en train de sangloter, mais il n'osait pas se retourner de crainte d'affronter une fois encore le canon du fusil et le regard vitreux de cette femme qu'il ne reconnaissait plus, qu'il n'avait pas vraiment connue et pour laquelle il avait décidé d'offenser les hommes, d'outrager les saints et de renier Dieu.

Adem avait mal au ventre, mal au cœur, mal à la tête ; la nausée lui remplissait la bouche de sécrétions putrides. Il se releva en chancelant et se mit à courir comme un forcené au milieu des deux chiens de la ferme qui l'escortèrent jusqu'au mur de clôture. Il ne savait plus s'il tenait sur ses jambes ou bien s'il flottait, s'il était déjà mort ou bien en train de rendre l'âme. Épave prise dans la tornade, il chavirait au milieu des ténèbres tandis qu'un ululement sidéral, strident et atroce, lui vrillait les tempes.

Une silhouette rabougrie apparut au milieu du chemin. Adem crut halluciner ; la silhouette ne s'estompa pas. Elle s'arrêta à quelques pas de lui, les bras grands ouverts… *Mais qu'est-ce qu'il t'arrive encore, mon pauvre Adem ? Pourquoi te faut-il te noyer chaque fois qu'on te lâche du lest ?…* C'est toi, Mika ?… *Qui d'autre volerait à ton secours sur cette misérable terre, mon ami ?…* J'ai mal, Mika, j'ai froid. Dis-moi la vérité, je t'en conjure. Est-ce que je vais me réveiller ? *Ce n'est pas la bonne question, Adem. D'ailleurs, tu connais toutes les réponses, maintenant.*

Allez viens, mon ami, viens, laissons les vacheries du monde là où elles sont et retournons chez nous. Là-haut, dans notre palais d'été, nous serons à l'abri des coups bas du destin. Nous aurons à boire et à manger et nous passerons notre temps à dominer la plaine en écoutant bruire le fourré. Quand la neige se mettra à tomber, nous serons loin à traquer le soleil à travers la Hamada jusqu'au cœur des oasis. Nous ne laisserons pas de traces derrière nous afin qu'aucun mauvais souvenir ne nous rattrape... Dalal cogna sur la table : *Retire ton nez de ton satané bouquin. Quand tu ne lis pas, tu écris, et quand tu n'écris pas, tu lis. Est-ce qu'il t'arrive au moins de m'entrevoir lorsque je t'apporte ton café ? J'en ai marre de disparaître de ta vue chaque fois que tu tournes une page... C'est la vie*, dit le cafetier en astiquant son comptoir ; *il y a ceux qui boivent le calice jusqu'à la lie et ceux qui pissent dans le Graal.* Une guenon bondit sur la piste, un couteau ensanglanté au poing... *Celui qui s'abreuve dans les larmes des autres mourra de la soif des siennes*, martela l'oncle au soir des adieux tandis qu'une tempête de sable rendait les bêtes nerveuses dans leur enclos. *Béni soit celui qui trouve la plénitude dans l'humilité.* C'est écrit dans quel Saint Livre, mon oncle ?... *Dans le livre de tous les jours, mon garçon. Chaque déboire est une leçon de vie pour celui qui sait lire en lui et à l'ombre des autres. J'ai été à bonne école. J'ai mordu la poussière et connu le mépris des hommes. J'ai fait honte aux miens et pitié aux étrangers. Mon incomplétude d'infirme m'a appris que lorsque les joies et les peines s'équivalent, elles apportent à celui qui s'évertue à les dépasser la sobriété sans laquelle aucune sagesse ne saurait apaiser son âme.*

Adem se dirigea vers les lumières des Ouled Lahcène. Jamais repère ne lui parut si éloigné. On aurait dit le bout de la terre.

Adem grelottait, titubait, ivre de douleur et d'effroi. Le sang lui brûlait le flanc, se ramifiait sur sa jambe en une coulée de plomb. Sa chaussure en était pleine.

Prends ma main et suis-moi, lui dit Mika. *Ce n'est pas un endroit pour nous, ici. Toi et moi, on est faits pour aller à l'air libre. On n'est pas venus au monde pour se mettre la corde au cou et s'enfermer dans un bureau ou dans une maison. On est venus au monde pour nomadiser, pour ne s'attacher à rien puisque rien de ce que nous croyons posséder ne nous appartient vraiment. Les chemins sont notre destin, notre liberté. Et la liberté, ce n'est pas donné. La liberté, Adem, c'est vivre comme le vent que rien n'arrête, dormir dans un endroit et se réveiller dans un autre, rencontrer tous les jours des gens différents et les oublier au premier tournant… Les gens ne sont que des sources de problèmes. Est-ce qu'on est fabriqués de la même pâte qu'eux, toi et moi ? Bien sûr que non. Vois ce qu'ils t'ont fait. Ils veulent que tu leur ressembles, que tu t'enferres dans leur condition de galériens consentants. Tu penses qu'ils briseront leurs chaînes un jour ? J'en doute fort, moi. Ils tirent la tronche comme s'ils revenaient d'un enterrement et ils sont tout le temps en train de se compliquer l'existence. Pour tout l'or du monde, je n'aimerais pas vivre un seul instant de leur vie.*

Une clarté aveuglante illumina violemment les ténèbres. Tout devint aussi blanc qu'un marais salant. Dans le monde sous vide qui isola Adem dans son naufrage, une musique en sourdine, à peine audible, tintinnabula au fin fond du silence. C'était le son d'un luth. *Sèche la mer et marche. Surtout ne t'arrête pas*, souffla le vent dans les arbres.

Composition et mise en pages
Nord Compo à Villeneuve-d'Ascq

L'Éditeur de cet ouvrage s'engage
pour la préservation de l'environnement
et utilise du papier issu de forêts gérées de manière responsable.

CET OUVRAGE
A ÉTÉ ACHEVÉ D'IMPRIMER
SUR ROTO-PAGE
PAR L'IMPRIMERIE FLOCH
À MAYENNE EN AOÛT 2020

N° d'édition : 60626/01 – N° d'impression : 96549
Imprimé en France